Sete Enigmas
e um
Tesouro

MAURÍCIO ZÁGARI

Sete Enigmas e um Tesouro

São Paulo

Copyright © 2018 por Maurício Zágari
Publicado por Editora Mundo Cristão

Os textos das referências bíblicas foram extraídos da *Nova Versão Transformadora* (NVT), da Editora Mundo Cristão (usado com permissão da Tyndale House Publishers, Inc.).

Todos os direitos reservados e protegidos pela Lei 9.610, de 19/02/1998.

É expressamente proibida a reprodução total ou parcial deste livro, por quaisquer meios (eletrônicos, mecânicos, fotográficos, gravação e outros), sem prévia autorização, por escrito, da editora.

CIP-Brasil. Catalogação na publicação
Sindicato Nacional dos Editores de Livros, RJ

Z23s

Zágari, Maurício
  Sete enigmas e um tesouro / Maurício Zágari. - 1. ed. - São Paulo: Mundo Cristão, 2018.
  144 p. ; 21 cm.

  ISBN 978-85-433-0317-8

  1. Ficção infantojuvenil brasileira. I. Título.

18-49051
CDD: 028.5
CDU: 087.5

Categoria: Ficção

Publicado no Brasil com todos os direitos reservados por:
Editora Mundo Cristão
Rua Antônio Carlos Tacconi, 69, São Paulo, SP, Brasil, CEP 04810-020
Telefone: (11) 2127-4147
www.mundocristao.com.br

1ª edição: junho de 2018
4ª reimpressão: 2024

Sumário

Prólogo: Terça-feira, de manhã — 7

1. Segunda-feira anterior, de manhã — 11
2. Terça-feira, início do dia — 23
3. Terça-feira, de manhã — 35
4. Terça-feira, início da tarde — 49
5. Terça-feira, em algum momento do dia — 73
6. Terça-feira, em algum momento do dia — 89
7. Quarta-feira, início da madrugada — 105
8. Quarta-feira, final da madrugada — 121
9. Quarta-feira, de manhã — 131
10. Final — 139

Prólogo

TERÇA-FEIRA, DE MANHÃ

— Deus, protege a vida do Marcos. Seja lá o que tenha acontecido com ele, peço que a tua mão protetora esteja estendida, guardando-o de todo o mal!

A oração de Daniel vinha carregada de aflição e angústia. Sentado sozinho no gabinete do pastor Wilson, apertava com força os olhos e as mãos, enquanto, de cabeça baixa, intercedia pela vida de seu amigo. A falta de notícias era preocupante. Desde que se despedira dele, na véspera, não tinha recebido mais notícias. Ninguém tinha. Seu Valter, pai de Marcos, ligou agoniado para a igreja, querendo descobrir se alguém tinha informações sobre a localização de seu filho. Não era só a violência da cidade que o preocupava: Marcos era diabético. Ele precisava tomar injeções diárias de insulina. Se ficasse muito tempo sem sua dose do hormônio, as consequências poderiam ser fatais. E ele já estava sem receber o medicamento havia um dia e meio.

— Senhor, protege o meu amigo. Que tenhamos notícias logo...

No dia anterior, Marcos tinha ido espalhar pela cidade as pistas da gincana bíblica da juventude de sua igreja.

Ele adorava fazer aquilo. A gincana era uma tradição anual. Consistia em esconder em sete lugares diferentes da cidade bilhetes com charadas que só poderiam ser esclarecidas por meio de conhecimentos bíblicos e um raciocínio sagaz. A primeira pista indicava o lugar onde estava a segunda, que levava à terceira e assim por diante, até a sétima, que apontava por fim onde estava escondido o grande prêmio. Era uma forma divertida e animada de envolver os jovens da igreja numa autêntica caça ao tesouro. Naquele ano, o tesouro seria oferecido pelo pastor Wilson. Apenas ele, e ninguém além dele, sabia do que se tratava o prêmio. Havia enorme curiosidade para descobrir o que o vencedor ganharia. Era um segredo que o líder da igreja guardava debaixo de sete chaves.

Marcos era o responsável por criar as charadas e esconder as pistas pela cidade. Tinha sido assim nos últimos cinco anos. Os jovens da igreja formavam grupos e partiam pelas ruas em busca das soluções para os sete enigmas. Às vezes a dificuldade de decifrar era tanta que o grupo vencedor precisava de dois ou três dias para encontrar o prêmio. No ano anterior, aliás, Marcos tinha pegado tão pesado nas charadas que ninguém conseguiu chegar ao final. Uns ficaram pela terceira, outros pela quarta, no máximo chegaram à quinta charada.

— Pai amado, nosso coração está angustiado pelo nosso irmão... cuida dele nesta hora...

E agora essa. Marcos tinha saído cedo para espalhar as pistas pela cidade, como fazia todos os anos, e... não voltou para casa. Não telefonou. Não deu notícias.

Simplesmente desapareceu. Estavam todos preocupados. Se ele fosse um desses jovens irresponsáveis que saem de casa e não dão satisfação, dormem fora, chegam de madrugada e ninguém sabe deles... mas não era o caso. Marcos era um bom filho. Sempre avisava os pais sobre suas saídas. A família, agora, tentava de todas as formas descobrir seu paradeiro. Já tinham ligado para os amigos, a igreja... e nada.

— Deus Altíssimo, acalma o nosso coração, que tenhamos notícias do Marcos, que...

De repente, o telefone do gabinete tocou:

TRIIIM!!!

Daniel abriu um olho. Olhou em volta, para ver se havia alguém que pudesse atender. Mas não havia.

TRIIIM!!!

Esticou a mão e atendeu.

— Gabinete do pastor Wilson.

O que ouviu do outro lado fez seu coração disparar. Embora a ligação estivesse péssima, em meio a ruídos e chiados ele conseguiu ouvir ao longe:

— Crânio....

Era a voz de Marcos.

Uma voz fraca, lenta e baixa. Mas, definitivamente, a voz de Marcos. Além disso, seu amigo sempre chamava Daniel pelo apelido, "Crânio".

— Marcos! Marcos! Sou eu! Marcos! Alô!

Silêncio. Chiados. Barulho. Estática. E, então, novamente, Daniel ouviu a voz de seu amigo, picotada e distante:

— Socorro... estou... eu... ajuda...

Daniel pôs-se de pé, a sensação de impotência apertando seu peito.

— Marcos! Marcos! Onde você está?! Onde você está?!

Silêncio.

— Marcos!

Foi então que ouviu com toda a nitidez algo que o deixou apavorado.

— Crânio... estou morrendo... socorro...

E a ligação caiu.

Capítulo 1

SEGUNDA-FEIRA ANTERIOR, DE MANHÃ

> *Meu filho, preste atenção às minhas palavras e guarde meus mandamentos como um tesouro. Dê ouvidos à sabedoria e concentre o coração no entendimento. Clame por inteligência e peça entendimento. Busque-os como a prata, procure-os como a tesouros escondidos. Então entenderá o que é o temor do SENHOR e obterá o conhecimento de Deus.*
>
> PROVÉRBIOS 2.1-5

Daniel estava exultante. Enquanto caminhava em direção à igreja, pensava no telefonema que tinha acabado de receber da universidade onde, em duas semanas, começaria a estudar: eles tinham pré-aprovado o seu pedido de bolsa de estudos. Com o dinheiro que sua mãe recebia todo mês, ficava inviável pagar a mensalidade. A bolsa era sua grande chance. A secretária do Departamento de Jornalismo tinha agendado para dali a dois dias sua entrevista. "Inadiável", disse ela. Daniel disputava com outros vinte candidatos a bolsa e, se fosse bem na entrevista, teria isenção integral do pagamento.

— Deus é mesmo demais! — pensou em voz alta, empolgado.

Dobrou à direita, na Avenida Martinho Lutero, e tomou um atalho, atravessando o enorme parque municipal que os irmãos da igreja tinham apelidado de Jardim das Oliveiras. Seguiu pela trilha que atravessava o bosque e, depois de dez minutos andando, saiu do outro lado. Pegou a Rua das Acácias, entrou pela Rua Dom Pedro I e logo estava na esquina da igreja. Daniel andava apressado. Tinha combinado de se encontrar com Marcos para conversar sobre a gincana bíblica de caça ao tesouro. Normalmente, ela só aconteceria dois meses depois, mas o pastor Wilson resolveu antecipar para ajudar os membros a esfriar a cabeça depois do estresse que a igreja tinha enfrentado duas semanas antes com toda aquela história do desaparecimento da Bíblia de Gutenberg.*

Chegou à porta da igreja e logo encontrou o diácono Sérgio, que lia o jornal com a cabeça enfiada entre as páginas.

— A paz de Cristo, irmão Sérgio.

O homem ergueu os olhos e abriu um largo sorriso ao ver Daniel.

— Paz do Senhor! Tudo bom? Como vai nosso herói?

— O herói fica por sua conta, mas eu estou bem, graças a Deus. Alguma notícia boa aí? — apontou com a cabeça para o jornal.

---

* Ver O enigma da Bíblia de Gutenberg, primeiro volume da série "As aventuras de Daniel" (São Paulo: Mundo Cristão, 2017).

— Nada, a mesma coisa de sempre. Violência, corrupção e crise... uma tristeza — falou, com um entortar de boca. — Mas o Mengão ganhou do Corinthians!

— Ê, Sérgio, sempre flamenguista roxo, hein? — riu.

— Roxo não, vermelho e preto! — se divertiu o diácono.

— O que diz a meteorologia? Vamos ter sol para a caça ao tesouro?

— Deixa eu ver... ih, rapaz, está ameaçando tempo ruim. Acho bom vocês levarem guarda-chuva.

— Você sabe se o Marcos já chegou? — mudou de assunto.

— Chegou sim. Está lá no gabinete, com o pastor Wilson.

Daniel agradeceu com um aceno e já seguia para a pequena sala onde o pastor atendia quando Sérgio acrescentou:

— Ah, já ia esquecendo. Há uma meia hora passou por aqui uma jovem atrás de você. Eu disse que você não estava, e ela falou que voltava amanhã.

— Uma jovem? — franziu a testa.

— Isso, uma ruiva, de cabelos longos até a cintura, olhos verdes... — deu uma piscadela marota. — Bonita a moça, viu?

Daniel soltou um "hmmm", agradeceu com a cabeça e continuou rumo ao gabinete. Ele sabia exatamente de quem se tratava. Era Valéria, uma colega de escola que tinha cursado o último ano em sua sala. Ela não fazia muita questão de esconder que estava interessada nele. Todos os garotos eram caídos por ela, e não era por menos: a menina era linda. Tinha um sorriso cativante, um perfil bem desenhado e uma voz grave e rouca. Mas havia um grande problema: não era cristã.

Daniel sabia que, para um cristão, namorar alguém que não compartilhasse de sua fé só causaria dor de cabeça. Era jugo desigual, como não se cansava de dizer o pastor Wilson. "No começo tudo é ótimo", dizia ele. "Mas aí a coisa vai esquentando, não há a busca pela santidade, os valores são diferentes... o pecado é uma questão de tempo. E como será o futuro de uma relação como essa? Vão casar? E os filhos, serão educados na fé? E quando vierem os problemas, ela vai orar? Vai buscar a solução na Bíblia? Vai se aconselhar com um pastor ou com uma cartomante? E aí, como é que fica? Cada um vai seguir para um lado, e isso não vai dar em coisa boa."

Ou seja, era jugo desigual!

Daniel levava isso muito a sério. Se nem as meninas da igreja tiveram sucesso em conquistar seu coração — e não foram poucas as que tentaram —, não seria alguém de fora que... Bem, falar é fácil. Quando Valéria chegava perto, com aquele sorriso brilhante e ajeitando aqueles cabelos perfumados para cá e para lá, ele ficava todo bobo. O perfume dela era a coisa mais cheirosa do mundo. Na verdade, era um perfume até bem comum, mas *nela*... ah, nela ficava diferente.

E ele bem que tentou lhe falar de Cristo. Valéria achou graça quando ele a convidou para sair. Ir a um culto! Para ela, que vivia entre *shows*, bares e boates, regados a bebida e muita fumaça de cigarro, era um programa bem diferente. Topou. E foi uma vez à igreja. Mas não passou disso. "É... interessante", comentou. Ao perceber que não haveria um comprometimento da menina com os valores cristãos, Daniel decidiu cortar a coisa pela raiz. Logo depois, veio o fim da escola e cada um foi para o seu lado.

Até agora.

Quando soube que a ruivinha tinha ido atrás dele, uma pontinha de vaidade brotou em seu coração e pensamentos fantasiosos invadiram sua mente. Então Daniel sacudiu a cabeça, como que para espantar uma mosca incômoda, e procurou pensar em algo diferente.

— Fala, Crânio! — Marcos saudou o amigo assim que ele entrou no gabinete. Em pouco tempo, Daniel não pensava mais em Valéria.

— A paz do Senhor para você também — brincou, implicando.

O pastor Wilson estava sentado em sua mesa, lendo um livro. Marcos, debruçado sobre o computador, escrevia. O pastor sorriu ao vê-lo.

— Meu querido Daniel, tudo bem? Quais as novidades?

Essa era a deixa que Daniel estava esperando. Abriu o verbo e começou a contar sobre o telefonema e a entrevista que teria em dois dias na faculdade para conseguir a bolsa de estudos.

— Que legal, Daniel! Tenho certeza de que vai conseguir. Vou orar por isso — disse o pastor Wilson.

— Ei, Crânio — mudou de assunto Marcos. — Já bolei todas as pistas da caça ao tesouro. Vai ser muito legal, cara.

O fato de Marcos não ter feito nenhum comentário sobre a entrevista na faculdade deixou Daniel meio chateado. Mas, como gostava muito da gincana e também de Marcos, deixou para lá.

— Ah, é? E quando é que você vai sair para esconder as pistas?

— Daqui a pouco. Vou só dar uma passada em casa para aplicar minha insulina e depois já saio por aí. Mas não adianta pedir dicas não, hein? — piscou o olho.

Aquela coisa de aplicar insulina incomodava Daniel. Não pela insulina em si, mas pela agulha da seringa. Ele tinha pavor de agulhas. Há quem deteste baratas, ou quem desmaie ao ver sangue. No caso de Daniel, sua grande fraqueza eram aquelas coisinhas pequenininhas, fininhas e apavorantes! Toda vez que tinha de tomar injeção era um sofrimento: suava frio, as pernas tremiam e dava uma vontade incontrolável de correr. Só de imaginar que o amigo precisava aplicar injeções em si mesmo todos os dias deixava Daniel arrepiado.

— Me diga pelo menos como a gente vai poder identificar o ponto exato de cada pista quando chegarmos ao lugar certo. Lembra o que aconteceu ano passado?

Marcos deu risada, encabulado. Claro que lembrava. Muitos grupos até conseguiram solucionar algumas charadas e foram aos lugares indicados pelas pistas, mas, ao chegar lá, ninguém encontrava o bilhete com o enigma seguinte. De tão bem escondido, muitos rodaram e rodaram, procuraram e procuraram, e não viram nada. Todo ano era o mesmo esquema: o papel era deixado dentro de um envelope. O grupo que o encontrasse lia a charada e devolvia ao lugar onde foi achado, para que o grupo seguinte encontrasse. Mas, para aquele ano, ele elaborou algo diferente:

— Vou fazer o seguinte: vou deixar as pistas sempre perto deste desenho. — Ergueu um papel e mostrou uma figura que Daniel conhecia bem. Era o ICHTUS.

O ICHTUS era um dos mais antigos símbolos do cristianismo: um simples peixe, que servia para os cristãos da Igreja primitiva se identificarem como irmãos na fé. Antes mesmo de a cruz ser usada como representação da religião cristã, o peixinho era pintado e entalhado nas antigas catacumbas. O ICHTUS é, na verdade, um acróstico, formado pelas primeiras letras da expressão *Iesus Christos Theou Uios Soter*, que quer dizer "Jesus Cristo, Filho de Deus, Salvador". E, agora, serviria para identificar as pistas da gincana, assim como o "X" indicava a localização do tesouro dos piratas.

— Bacana, Marcos. Boa sorte, que Deus o abençoe.

Marcos se levantou, pegou sua mochila e virou-se para o pastor Wilson, que lia seu livro, alheio à conversa. Fez um pigarro com a garganta.

— Hm-hum...

O pastor Wilson ergueu os olhos, meio sem entender.

— Que foi, Marcos?

— O senhor não se esqueceu de nada?

Fez-se um breve silêncio. Diante da cara de "do que você está falando?" do pastor, Marcos completou:

— Estou saindo para esconder as pistas da caça ao tesouro. O senhor não vai me entregar nada?

— Tipo...?

— Tipo o tesouro, pastor! — riu Marcos.

— Ah, claro! — devolveu o riso o pastor Wilson, que se levantou, foi até o armário e voltou com um pacote muito bem embrulhado, no formato de um tijolo. Não havia nada escrito que desse alguma informação sobre seu conteúdo. — Aqui está. Cuide bem dele, hein?

— Pode deixar — virou-se para Daniel. — Tchau, Crânio, fica com Deus, viu? Amanhã cedo estou aqui para a gente dar início à brincadeira. Até mais, pastorzão!

Marcos virou as costas e já ia saindo, quando um pigarro do pastor o fez se voltar.

— Hm-hum...

— Que foi, pastor?

— O senhor não se esqueceu de nada? — fez um olhar sapeca.

Fez-se outro breve silêncio. Diante da cara de "do que você está falando?" de Marcos, o pastor Wilson completou:

— Esqueceu que sou eu que distribuo a primeira pista para os grupos participantes? — sorriu.

Marcos deu um tapa na testa.

— É verdade, pastorzão! Tá aqui.

Abriu a mochila e lhe entregou um envelope fechado.

— Cuide bem dela, hein? — implicou Marcos, rindo e saindo aos pulos.

Depois que se apagou o riso, o pastor e Daniel ficaram um tempo jogando conversa fora, falando amenidades e desfrutando da companhia um do outro. Coisa boa era ter alguém com quem conversar. E, no caso deles dois, o papo inevitavelmente acabava sendo conduzido para as coisas de Deus. Era sempre assim: começavam falando sobre internet, futebol ou as notícias da semana e acabavam discutindo sobre Bíblia, santidade, história da Igreja. Eram conversas enriquecedoras para Daniel, que sempre aprendia muito. Até que olhou para o relógio.

— Xi, pastor, o papo estava tão bom que eu perdi a hora! Minha mãe e meu irmão estão me esperando para o almoço!

— Então corra, meu amigo, senão a comida esfria — sorriu.

Os dois se abraçaram, e Daniel disparou porta afora.

◆ ◆ ◆

Já era tarde da noite, e Daniel se divertia brincando de palavras cruzadas com Bruno, seu irmão caçula, de apenas 8 anos. Dona Alzira, a mãe dos dois, cochilava, sentada no sofá, com os óculos no rosto, um livro esquecido no colo e a cabeça tombada para o lado. Nem os gritos dos irmãos a tiravam do mais profundo sono. Até que um barulho fez dona Alzira se levantar de um pulo.

TRIIIM!!!

Telefone àquela hora? Ela se recompôs do susto e atendeu.

— Alô?

Do outro lado, alguém começou a falar, e, quanto mais a pessoa falava, mais ela franzia a testa. Daniel fez silêncio e, percebendo que havia algo errado, levou o dedo aos lábios.

— *Shhhh*, espera um pouco, Bruno.

Depois de alguns instantes e umas palavras balbuciadas, dona Alzira olhou para Daniel e lhe estendeu o fone.

— Filho, é o seu Valter, pai do Marcos. Ele quer falar com você.

Daniel olhou para o relógio: meia-noite e meia. Estranho seu Valter estar ligando naquele horário.

— Boa noite, tio Valter.

— Boa noite, Daniel — respondeu a voz ao telefone. — Desculpe ligar a esta hora, mas o Marquinhos não voltou para casa até agora e minha esposa e eu estamos muito preocupados. Por acaso você sabe onde ele está?

Daniel conseguia sentir aflição na voz de seu Valter. E era compreensível, pois sumir daquele jeito não fazia o perfil do seu amigo. Ele também começou a se preocupar.

— Não, tio, não sei. Estive com ele de manhã, na igreja, mas de lá para cá não tive mais notícias. Ele saiu pela cidade para espalhar as pistas para a caça ao tesouro que estamos organizando.

— Pois é, ele estava todo animado. Mas ficou de voltar no final da tarde, e até agora nada.

— Desculpe, tio, não faço ideia de onde ele possa estar.

— Tá... tudo bem. Se por acaso ele der notícias, você me liga?

— Claro. E, por favor, se ele aparecer por aí, me avisa, pode ser?

— Sem problemas. Bom... — Daniel sentia a preocupação na voz de Valter — ... Então tá. Boa noite, Daniel, fique com Deus.

— Boa noite, Deus o abençoe.

Pôs o fone no gancho. Bruno e dona Alzira olhavam para ele, na expectativa.

— Que foi, Dani? — o caçula quebrou o silêncio.

Daniel contou o que seu Valter tinha dito e os três se entreolharam, sem saber muito bem o que fazer ou dizer. Foi sua mãe quem propôs:

— Bem, quando não há nada que possamos fazer, devemos fazer a única coisa que podemos.

Os dois já sabiam do que ela estava falando. Puseram-se de pé, deram as mãos e começaram:

— Senhor, nosso Deus e nosso Pai...

Capítulo 2

TERÇA-FEIRA, INÍCIO DO DIA

> *Volta-te e responde-me, Senhor, meu Deus!*
> *Restaura o brilho de meus olhos, ou morrerei.*
> Salmos 13.3

Mal o dia amanheceu, Daniel pulou da cama, fez suas orações matutinas, tomou café e se arrumou para sair. Bruno seria sua dupla na caça ao tesouro e, por isso, sacudiu seu irmão caçula.

— Bruno, levanta. Tá na hora.

Sonolento, Bruno levantou-se e foi se arrastando até o banheiro. Tomou banho, comeu e, já tomado pela empolgação, se pôs de pé na sala.

— Vamos lá!

Os dois foram até o quarto da mãe e, com um beijo, se despediram dela. Pegaram uma Bíblia, saíram e seguiram o mesmo caminho de sempre até a igreja: Avenida Martinho Lutero, atalho pelo Jardim das Oliveiras, Rua das Acácias, Rua Dom Pedro I e, pronto, estavam na esquina da igreja. Logo que chegaram, perceberam que havia alguma coisa estranha. Quase todos os jovens da juventude conversavam na porta, com gestos nervosos, expressões de preocupação e uma visível agitação. Ricardo, o novo convertido, bateu os olhos em Daniel e já foi falando:

— Ô Crânio, você soube do Marcos?

O tom do rapaz deixou Daniel imediatamente tenso.

— Que houve?

— Ele sumiu. Não dormiu em casa, e ninguém sabe onde se meteu. O pai dele ligou para o pastor Wilson, e já estão pensando em ir até a polícia, tá ligado?

— Essa não. Dá licença, Ricardo.

Daniel apressou o passo e entrou pela porta, seguido de Bruno. Deu de cara com Marília, Cecília e Emília, três irmãs que eram caidinhas por ele. Todas as três. Para elas, ele era o "Bênção". Mas, naquela hora, o tom nada tinha a ver com paquera ou coisa parecida.

— Daniel, você já soube do que aconteceu? — Cecília se antecipou.

— Sim, estou sabendo do sumiço do Marcos.

— E não é só isso — foi a vez de Emília.

— O que houve?

— O pastor Wilson acabou de anunciar que não tem clima para fazer a caça ao tesouro e resolveu cancelar a gincana — completou Marília.

Daniel fez cara de desânimo. Mas, francamente, com o desaparecimento de seu melhor amigo, quem se importava? Despediu-se das três com um gesto de cabeça e rumou para o gabinete do pastor, deixando atrás de si três suspiros apaixonados.

Chegou na porta da sala e encontrou o pastor sentado em sua mesa, junto com o diácono Sérgio e o presbítero

Antônio, conversando sobre o que poderiam fazer para ajudar.

— O Valter está arrasado, e a irmã Luciana não para de chorar — ouviu o pastor Wilson dizer.

— Alguém já ligou para a polícia? — questionou Antônio.

— E se puséssemos os jovens que vieram para a gincana todos juntos para orar? — sugeriu Sérgio.

Os três se voltaram para Daniel.

— A paz do Senhor, pessoal. Nenhuma notícia, né?

— Nada, amado. Estamos todos na expectativa, aguardando. Estou pensando em correr até a casa do Valter para dar apoio a ele e à esposa. Antônio, você me acompanha?

O presbítero fez que sim com a cabeça. O pastor Wilson se levantou, pegou seu paletó das costas da cadeira e distribuiu as tarefas.

— Não creio que seja de nossa competência chamar a polícia sem autorização dos pais. Antônio, vamos à casa do Valter ver como podemos ajudar e, se for o caso, ligamos para o inspetor Benevides — disse, referindo-se ao policial que havia participado do episódio do furto da Bíblia de Gutenberg duas semanas antes.* — Sérgio, você reúne os jovens e coloca a turma toda para interceder pela vida do Marcos. Daniel, por favor, fique aqui para atender ao telefone caso alguém ligue com novidades, sim?

Daniel fez um muxoxo, porque ficar ali, parado, sem fazer nada, não era de modo algum seu estilo. Preferia

---

* Ver O enigma da Bíblia de Gutenberg.

mil vezes acompanhar o pastor ou subir para orar com o grupo. Mas, como respeitava muito seu pastor, fez que sim com a cabeça e resignou-se.

— Bruno, suba com o diácono Sérgio para a oração — pediu Daniel.

Seu irmão caçula concordou e os quatro saíram, deixando-o sozinho. Ele sentou-se na cadeira do pastor e pôs-se a... fazer nada. Começou a rodar a cadeira para a esquerda... e a direita... a esquerda... e a direita... a esquerda... e a direita...

O tédio foi tomando conta dele, junto com a sensação de impotência. Seu melhor amigo estava sabe Deus onde, possivelmente em apuros, e ele ali...

Esquerda... direita... esquerda... direita...

Foi quando se lembrou de Tiago 5.16: "A oração de um justo tem grande poder e produz grandes resultados". Parou de se balançar, fechou os olhos e juntou as mãos.

— Senhor, meu Deus e meu Pai...

E entrou numa oração fervorosa. Orou, orou e orou, até que, meia hora depois, foi interrompido pelo som estridente do telefone.

TRIIIM!!!
TRIIIM!!!
— Gabinete do pastor Wilson.
— Crânio...
— Marcos! Marcos! Sou eu! Marcos! Alô!
— Socorro... estou... eu... ajuda...
— Marcos! Marcos! Onde você está?! Onde você está?!
— ...

— Marcos!
— Crânio... estou morrendo... socorro...

◆ ◆ ◆

Silêncio.

◆ ◆ ◆

Daniel estava atônito. Como que paralisado no tempo e no espaço, tentou juntar as peças, para ver se fazia sentido, se conseguia descobrir o que estava acontecendo e o que poderia fazer. A única certeza que tinha agora, com aquele telefonema, era: seu grande amigo Marcos estava em apuros. E com a vida em risco. Ele precisava fazer alguma coisa!

"Calma. Vamos pensar friamente. Raciocinar", pensou. "O som parecia claramente com o de um celular num lugar sem serviço. Ele deve estar com o celular!" Na mesma hora, agarrou o telefone e pôs-se a teclar com nervosismo o número do amigo.

— *O telefone encontra-se indisponível ou fora da área de cobertura. Tente novamente mais tarde* — disse a gravação irritante da companhia telefônica.

Tentou de novo. E de novo. E mais uma vez. Nada. Sempre quem atendia era aquela gravação:

— *O telefone encontra-se indisponível...*

Como não estava tendo sucesso, decidiu correr e contar aos irmãos. Levantou-se e disparou pela porta. Foi só dar dois passos pelo corredor que...

TRIIIM!!!
Daniel freou, desequilibrou-se e deu meia-volta, patinando os pés e agarrando-se à parede.
TRIIIM!!!
Voou de volta sala adentro e saltou sobre o telefone.
— Alô! Alô! Alô!
Do outro lado da linha, os mesmos ruídos e chiados de antes.
— Marcos! Marcos! Onde você está?
Então Daniel ouviu novamente a voz do amigo. Fraca. Distante. Picotada. Lenta. Tudo o que conseguiu ouvir foi:
— Crânio... tô mal... machucado... ajuda...
Angustiado, Daniel interferiu, tentando manter a calma.
— Marcos, onde você está? Não estou ouvindo nada.
Silêncio.
Depois de um tempo, ouviu mais um pouco.
— Depressa... insulina... eu...
Daniel gelou. Seu amigo diabético estava havia quase vinte e quatro horas sem tomar insulina. Se não recebesse o hormônio, entraria num processo complicado de abstinência que — não queria nem pensar nisso — poderia levá-lo à morte. A coisa ficou séria. Era preciso descobrir onde Marcos estava de qualquer jeito, e rápido!
— Marcos, como eu encontro você?
Silêncio.
Chiados. E então:
— ... celular quase sem bateria...
"Só faltava essa!", pensou. "A bateria do celular dele está acabando." Foi aí que, de repente, o chiado sumiu e

Daniel conseguiu ouvir a voz fraca e lenta do amigo dizer com toda clareza uma única frase:

— Estou no local do último dos sete enigmas, no...
Chiados.
Ruídos.
— Onde, Marcos? Repete! Não ouvi! Onde você está?
Mas Daniel só conseguiu escutar uma última palavra.
— Socorro...
E a ligação caiu.
Tentou ligar de volta.
— *O telefone encontra-se indisponível ou...*
Mais uma vez.
— *O telefone encontra-se indisponível ou...*
Vez após vez.
— *O telefone encontra-se indisponível ou...*
Incontáveis outras vezes.
Nada.

"Estou perdendo tempo", pensou. "A bateria dele deve ter acabado." Daniel tentou raciocinar. Seu amigo estava machucado e preso em algum lugar desconhecido. Precisava ser encontrado o mais rápido possível, pois, se ficasse sem insulina por muito tempo, sua vida estaria em perigo. E, para encontrá-lo, teria de percorrer os sete locais onde ele tinha deixado as pistas e decifrar os sete enigmas.

— Meu Deus, isso pode levar muito tempo — lamentou-se. Mas não havia outro jeito.

Agora, o que ele precisava fazer era avisar todo mundo sobre o que tinha acabado de ocorrer. Pegou o telefone e discou o número da casa de Marcos. Ocupado. Tentou de novo. Ocupado. De novo. E de novo. Ocupado.

Estava ficando muito irritado. De repente, seus olhos pousaram sobre um envelope que estava em cima da mesa do pastor Wilson. Ele já o tinha visto antes. Dentro estava o papel escrito por Marcos com o primeiro dos sete enigmas bíblicos que, uma vez solucionado, revelava o local da segunda charada. Ele vira seu amigo entregar aquele envelope ao pastor na véspera.

"Não dá para esperar mais", pensou, impaciente. Olhou para o telefone, para o envelope, para o telefone, para o envelope... e agarrou o envelope. Rasgou. De dentro escorregou um papel dobrado. Daniel respirou fundo, abriu o bilhete e leu:

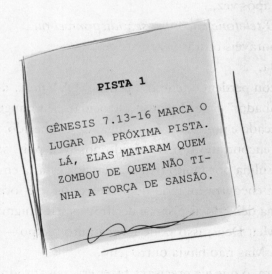

PISTA 1

GÊNESIS 7.13-16 MARCA O LUGAR DA PRÓXIMA PISTA. LÁ, ELAS MATARAM QUEM ZOMBOU DE QUEM NÃO TINHA A FORÇA DE SANSÃO.

"Que coisa estranha!", pensou ele.. "Sansão não aparece em Gênesis, mas no livro de Juízes." Olhou, refletiu e soltou em voz alta:

— Mas que raios de enigma é esse?

Era hora de botar o cérebro para funcionar. "Vamos por partes", pensou. Pegou sua Bíblia, um exemplar novinho em folha, na Nova Versão Transformadora. Foi até Gênesis 7 e leu o trecho indicado:

> Naquele mesmo dia, Noé tinha entrado na arca com a esposa, os filhos, Sem, Cam e Jafé, e as mulheres deles. Entraram com eles na arca casais de todas as espécies de animais: animais domésticos e selvagens, grandes e pequenos, e aves de toda espécie. Entraram de dois em dois na arca, representando todos os seres vivos que respiram. Um macho e uma fêmea de cada espécie entraram, como Deus tinha ordenado a Noé. Então o SENHOR fechou a porta.

"Está falando dos animais da arca de Noé. O que será que isso significa? Será que a próxima pista está no cais do porto? Arca... barco... navio...", seu cérebro dava voltas. Difícil era fazer a relação entre Sansão e a arca de Noé. "O que uma coisa tem a ver com a outra, meu Deus?"

Daniel recostou-se na cadeira. Decidiu tentar uma abordagem diferente e começar de trás para frente. "Quem não tinha a força de Sansão. Quem não tinha a força de Sansão..." De repente, teve uma iluminação: "A força de Sansão aparentemente estava em seus cabelos. Quem não tinha a força de Sansão é... quem não tinha cabelos!".

— Um careca! — exclamou.

"Mas quem zombou de um careca?" Foi então que se lembrou de uma história que tinha lido certa vez na

Bíblia. "Quem era mesmo...?" Começou a passear para lá e para cá. Crônicas... Juízes... Jó... Reis...

— Reis, acho que é por aqui...

Virando página por página, o dedo correndo linha a linha, Daniel chegou a 2Reis, capítulo 2.

— É isso! — exclamou em voz alta.

A passagem de 2Reis 2.23-24 falava sobre o profeta Eliseu, que, adivinhem só, a Bíblia diz que era careca. E relata uma ocasião em que um grupo de jovens começou a zombar de Eliseu por sua aparência. Foi isto o que aconteceu:

> Eliseu saiu dali e foi a Betel. Enquanto subia pelo caminho, um grupo de adolescentes da cidade começou a zombar dele. "Vá embora, careca! Vá embora, careca!", gritava. Eliseu se voltou para trás, olhou para eles e os amaldiçoou em nome do SENHOR. Então duas ursas saíram do bosque e despedaçaram 42 adolescentes.

Pronto! Estava feita a ligação entre a passagem de Gênesis e a de Sansão. Que, na verdade, não era sobre Sansão, o cabeludo, mas sobre Eliseu, o careca: as ursas.

— Não se trata da arca, de barcos, nem de nada do gênero. Esse enigma fala sobre os animais! Então vamos lá: arca de Noé, ursas, isso aponta para quê?

A resposta surgiu de uma voz vinda da porta:

— O zoológico.

Daniel ergueu os olhos e viu ali, parada de pé, na porta do gabinete, aquela figura baixa, de olhos verdes brilhantes e cabelos longos cor de fogo. Valéria.

◆ ◆ ◆

— Que coisa! Então temos de encontrar logo o seu amigo.
A frase espantou Daniel. Ele tinha resumido em poucas palavras tudo o que estava acontecendo, e, para sua surpresa, Valéria se ofereceu para acompanhá-lo em sua busca por Marcos. Ele achou aquilo muito legal.
— Eu vim aqui te ver e de repente te chamar para beber alguma coisa e bater um papo, mas isso é muito mais emocionante! Vou com você! — decretou a menina.
— Sabe o que é, Val, não sei se vai ser legal, eu...
— Deixa de besteira, gatinho, vou te ajudar — interrompeu ela. — Diz que sim, vaaaaai...
O tom meloso e a carinha de menina chorona derrubaram Daniel. Ele ficou todo bobo, desmanchou e entregou os pontos.
— Tá bom, Val...
Ela deu um risinho de quem armou e se deu bem.
— Então vamos! Próxima parada: zoológico!

Capítulo 3

TERÇA-FEIRA, DE MANHÃ

> *Agora, confessem seu pecado ao* Senhor, *o Deus de seus antepassados, e façam o que agrada a ele. Separem-se do povo da terra e dessas mulheres estrangeiras.*
> Esdras 10.11

Daniel e Valéria já estavam ganhando a rua quando ouviram alguém chamar. Era Bruno, que descia apressado as escadas.

— Espere aí, Dani, aonde você vai?

Ele se voltou para o irmão e contou a história toda.

— Bruno, preciso que você me faça um favor. Insista no telefone e tente falar com o pastor Wilson. Se não conseguir, vá até a casa do tio Valter e conte tudo. Nós vamos ao zoológico ver se a segunda pista está lá mesmo.

Bruno olhou para Valéria e, em seguida, para Daniel, com uma cara de "quem é?". Seu irmão entendeu.

— Ah, Bruno, essa é a Valéria. Val, meu irmãozinho.

A ruivinha abriu aquele sorriso e lascou um beijo em cada bochecha de Bruno, que perguntou:

— Oi, Valéria. Você é de que igreja?

Ela deu outro sorriso muito simpático, passou a mão pelos cabelos dele e respondeu:

— Não sou de igreja nenhuma, não. Mas acho que a sua tem uma energia super alto astral!

Diante do olhar desconfiado do irmão, Daniel saiu pela tangente.

— Bom, vamos nessa que a vida do Marcos depende de mim.

Despediu-se do irmão e caminhou com Valéria até a Avenida Martinho Lutero, onde pegaram um ônibus que passava pelo zoológico. O trajeto demorava cerca de meia hora e, nesse meio-tempo, começaram a conversar sobre assuntos menos importantes. Até que ela comentou:

— Você está tenso, né?

Ele fez que sim com a cabeça.

— Dá para ver, a sua aura está bem escura — disse ela. — Mas não fica assim não, o universo conspira a nosso favor.

Daniel não sabia se agradecia, se gaguejava diante daquele sorriso de atriz de cinema ou se se posicionava quanto àquela história de aura. Pensou em dizer que não acreditava naquilo, mas, com medo de afastar ou irritar aquela coisinha fofa, respondeu apenas:

— Pois é...

— Olha — continuou ela —, vamos fazer bastante pensamento positivo para que dê tudo certo.

— Hmmm... é... pois é... — repetiu.

De repente, Valéria segurou as mãos de Daniel, o que provocou imediatamente uma descarga de adrenalina. "Que mãos macias", pensou ele. "E tão quentinhas..."

— Vamos nos concentrar juntos e mandar muita energia do bem para o Marcos, para ele se sentir em paz enquanto a gente não o encontra — disse a ruiva, olhando bem dentro dos olhos de Daniel.

Ele perdeu completamente a concentração. Sabia que aquele papo não tinha nada de bíblico. Quis retrucar, dizer o que Jesus falava sobre a soberania de Deus, mas... de certo modo sentiu vergonha de abrir a boca e falar sobre a Bíblia.

— É... bem... tá... — foi tudo o que conseguiu balbuciar.

Daniel tinha consciência de que Valéria fazia tudo aquilo com o intuito de conquistá-lo. E o pior: estava conseguindo. Acostumado a lidar com as investidas das meninas da igreja, ele tinha pouca experiência com jovens não cristãs. Nenhuma, na verdade. Tudo o que conseguiu foi ficar olhando fixo para aqueles olhos verdes, hipnotizado, um calor subindo pelo peito, até que foi salvo pelo gongo.

— Nosso ponto chegou.

Largou as mãos dela, levantou do banco, deu o sinal de parada e correu para a porta. De repente, voltou a pensar em Marcos em perigo, sem insulina, o relógio correndo... e conseguiu se recompor.

Desceram do ônibus, deram alguns passos e chegaram ao jardim zoológico. Daniel foi à bilheteria, comprou dois ingressos e entraram.

— Pelo que dizia a charada, parece que a próxima pista está na jaula dos ursos — disse.

Ela concordou com a cabeça. Seguiram juntos pelas vielas, entre viveiros de pássaros, jaulas de leões, poços com serpentes... era mesmo uma arca de Noé. Até que...

— Ali! — apontou Valéria, correndo na frente.

Diante deles estava o local onde ficavam os ursos. Era uma espécie de ilhota cercada por água, por trás de uma série de barras de ferro. Olharam em volta. Aparentemente, nada à vista. Daniel ficava cada vez mais aflito. Examinou cada grade, a mureta, as pedras em volta... e nada. Parou, desanimado.

— Puxa vida, Val, e se estivermos no lugar errado? E se tivermos decifrado errado o enigma?

— Ah, gatinho, não fica assim não, eu...

Foi quando Daniel bateu os olhos numa árvore que ficava encostada no muro da jaula. Num galho alto, meio fora da visão das pessoas, por trás de algumas folhas, estava preso um envelope com o ICHTUS desenhado.

— Achei! — interrompeu.

Valéria virou a cabeça para o lado que ele apontava. Sorriu e correu em direção à árvore. Esticou o braço, ficou na ponta dos pés... mas não conseguiu alcançar o envelope. Virou-se para Daniel, a franja caindo sobre um dos olhos.

— Você vai ter de me levantar — piscou, com malícia.

Daniel ficou meio sem jeito, olhou em volta para ver se encontrava algo em que pudesse subir, mas não viu nada. É, não tinha outra maneira. Chegou perto dela, meio sem jeito, e falou:

— Vem...

Ela se aproximou e passou os braços em volta dos ombros dele. O perfume de seus cabelos inundou as narinas de Daniel, que começou a suar. O jovem se abaixou, envolveu a cintura de Valéria, a apertou e a suspendeu no ar.

— Uau, que forte — provocou ela.

"Jesus, me ajuda..."

Valéria esticou o braço e segurou o envelope. Daniel a pôs no chão, suas mãos ainda segurando a cintura dela, as mãos dela em seu pescoço... os dois se olharam, o rosto de um a centímetros do outro. Os ouvidos dele começaram a zunir, a respiração suspensa. Ela umedeceu os lábios com a língua... ele entreabriu a boca...

Num ímpeto que veio de algum lugar lá dentro, talvez resultado de muitas palestras e pregações sobre santidade no namoro, Daniel deu um passo para trás, abaixou o olhar e falou baixinho:

— Vem, vamos ler o que diz o bilhete.

Foi visível a decepção no rosto de Valéria. Mas ela pareceu ter se conformado e o seguiu até uma muretinha que havia ali perto, onde se sentaram. Daniel disfarçou um ligeiro tremor nas mãos, rasgou o envelope e tirou o papel. Juntos, leram o texto:

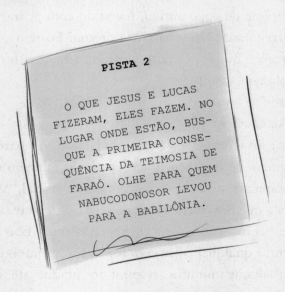

PISTA 2

O QUE JESUS E LUCAS FIZERAM, ELES FAZEM. NO LUGAR ONDE ESTÃO, BUSQUE A PRIMEIRA CONSEQUÊNCIA DA TEIMOSIA DE FARAÓ. OLHE PARA QUEM NABUCODONOSOR LEVOU PARA A BABILÔNIA.

Valéria olhou para Daniel com uma expressão de quem tinha lido grego. Ele coçou a cabeça. "Essa vai ser dureza", pensou.

◆ ◆ ◆

A queda tinha sido feia e muito confusa. Marcos só se lembrava de estar andando e, de repente, o chão sumiu sob seus pés. Instintivamente, tentou se agarrar em alguma coisa, mas não teve jeito: despencou de uma altura considerável e se arrebentou contra o chão duro e pedregoso. A pancada foi dolorosa. De sua garganta escapou um gemido seco e, depois, silêncio. De início, ficou alguns segundos parado, tentando se recuperar do susto.

Assim que seus olhos se acostumaram à escuridão, conseguiu discernir um pouco do lugar onde estava. Era uma espécie de poço antigo, revestido com pedras grandes e irregulares. Ou seria uma cisterna? Fosse o que fosse, percebeu que era estreito, profundo, escuro, frio.

E solitário.

Tentou se levantar.

— *Aaaaaaaargh!!!*

A dor foi terrível. Seu tornozelo latejou e disparou ondas agudas de dor. Seu braço esquerdo também estava extremamente dolorido. Numa análise inicial, Marcos percebeu que pelo menos dois de seus ossos estavam quebrados. Como consequência, não conseguia ficar de pé ou segurar qualquer coisa com força. Estava imobilizado. Passou alguns minutos respirando fundo, até que a cadência dos pulmões se regularizasse e ele conseguisse pensar com mais clareza.

"E agora, o que faço?"

Ele tinha acabado de percorrer os sete locais escolhidos e distribuído os envelopes com os enigmas bíblicos, e se dirigia ao lugar onde esconderia o tesouro que o pastor Wilson lhe tinha entregado quando aquilo aconteceu. O sol já estava se pondo, e logo seria noite. Ninguém sabia onde ele estava. O jeito era gritar e torcer para alguém ouvir e vir ajudá-lo.

— Socorr*aaaaaargh!!!*

A tentativa foi um fracasso. Quando forçou os pulmões, sentiu uma pontada terrível do lado direito. Teria fraturado uma costela? Bem, gritar era difícil. Escalar as paredes, impossível. E agora?

— O celular! — exclamou.

Pôs a mão na cintura, onde sempre carregava o telefone. Tateou nervosamente, mas nada encontrou. Apertou os olhos e conseguiu discernir em meio à escuridão o aparelho caído no chão, a certa distância. Esticou o braço, mas a dor foi insuportável. Passado o susto da queda e a descarga inicial de adrenalina, parecia que o corpo ia esfriando e a dor, aumentando. Tentou com a perna. Conseguiu encostar no telefone com o pé. Centímetro a centímetro, foi puxando o aparelho para perto de si. Até que, por fim, alcançou com a mão.

Respirou alguns instantes e apertou o botão de ligar. Estava funcionando! Mas logo a empolgação passou. Parecia que ali embaixo o sinal era inexistente. Tentou ligar para sua casa, mas só ouvia a gravação da operadora, informando que o telefone estava fora da área de serviço.

"Só faltava essa", pensou.

Tentou de novo. E mais uma vez. Tentou chamar a igreja. A casa do Crânio. O número de emergência dos bombeiros. Nada. Não tinha jeito, a profundidade e as paredes de pedra impediam que ele conseguisse ligar. Suspirou.

Totalmente impotente, entregou-se ao desânimo...

◆ ◆ ◆

— "O que Jesus e Lucas fizeram, eles fazem." O que será que Jesus e Lucas fizeram? — pensou alto Daniel.

Valéria olhou com cara de sabichona e arriscou:

— Os dois escreveram pedaços da Bíblia, não é isso?

Daniel olhou para ela com paciência e explicou:

— Na verdade, Val, Jesus não transcreveu de próprio punho nenhum trecho da Bíblia.

— E Lucas?

— Ele sim, escreveu um evangelho e, acredita-se, o livro de Atos dos Apóstolos.

A ruivinha fez cara de decepção. Depois de um breve silêncio, fez outra tentativa.

— Eles andaram um tempão juntos, não foi? Será que não é isso? Pregaram juntos? Lucas não era apóstolo de Jesus?

Daniel odiava admitir, mas a sua bela colega estava atrapalhando mais do que ajudando.

— Não, Val. Lucas escreveu o Evangelho depois de coletar informações, entrevistando pessoas e ouvindo relatos. Ele não era um apóstolo, era um cristão que acabou se tornando uma espécie de jornalista.

Quando começou a se concentrar, lá veio outra:

— Será que não é porque os dois eram pescadores?

Ele deu um suspiro.

— Valéria, Jesus era carpinteiro e Lucas, médico.

Os dois ficaram em silêncio, pensando. Nisso, um garotinho que passeava pelo zoológico chutando uma bola deu um bico e acertou a perna de Daniel. A mãe dele veio correndo, enfezada. Pediu desculpas e puxou o filho pela mão.

— Rafael, para de ficar chutando essa bola em cima dos outros! Já falei que isso machuca, que... — e foi embora.

De repente, Daniel fez cara de *eureca*.

— É isso! Valéria, sabe o que significa o nome "Rafael"?

A menina deu de ombros.

— Significa "O Senhor que cura". Jesus curava os enfermos. Lucas era médico. Ele também curava os enfermos. É isso o que tinham em comum: curavam. — Ele olhou para o papel. — "O que Jesus e Lucas fizeram, eles fazem." O enigma está se referindo àqueles que curam.

Os dois se entreolharam e disseram ao mesmo tempo:

— O hospital!

❖ ❖ ❖

Marcos lutava contra seu próprio organismo. As dores no corpo se intensificaram. Agora ele sentia tudo latejar, com pontadas e ardências que o castigavam. Viu ao longe que a boca do poço tinha ficado escura, sinal de que o sol já tinha se posto. Começou a pensar em seus pais e a imaginar o sofrimento e a preocupação deles quando percebessem que o filho não tinha voltado para casa.

Com muito custo, conseguiu se arrastar até a parede arredondada e sentou-se, com as costas junto às pedras. Tentou novamente obter linha no telefone. Em vão. Reparou, então, que a bateria do celular estava quase no fim e decidiu desligá-lo para não gastar inutilmente.

Foi quando se lembrou daquele que é socorro bem presente na angústia. Começou a orar em pensamento: "Pai amado, me ajuda! Preciso de ti!". Não conseguiu segurar mais, e as lágrimas banharam seu rosto. Quanto tempo se passou ele não sabia, mas, em alguns minutos, começou a sentir sono. Suas pálpebras pesaram, os olhos foram se fechando e...

TUM!

A pontada de dor o impedia de dormir.

E assim foi durante muitas horas daquela noite, que passou alternando sono, dor, tristeza, solidão... era uma amarga mistura de sensações e sentimentos.

Quando finalmente o sol voltou a lançar seus primeiros raios pela abertura, metros acima, Marcos estava exausto, física e emocionalmente. E a sede que sentia era desesperadora. Foi quando se lembrou da insulina.

— Essa não... — balbuciou.

Desde que havia recebido o diagnóstico de diabetes, anos antes, seguia rigorosamente o ritual das aplicações diárias de insulina, pois estava bem consciente das consequências de ficar sem o hormônio: seu organismo começaria a entrar lentamente em colapso, até que...

Não queria pensar nisso. Tinha de sair daquele buraco de qualquer maneira.

— So... cor... ro...

Não tinha jeito. Além da dor, estava cansado, com sede e sem forças. Resolveu tentar de novo o celular. Teclou o número de casa. Ocupado. Teclou o da igreja. "Está chamando!", sorriu, com esperança. De repente, um ruído. Do outro lado, em meio a muitos chiados, ouviu a voz reconfortante de Daniel.

— Gabinete...

— Crânio... sou eu, Marcos.

Depois de uma pausa, escutou seu amigo gritar, com tom de aflição:

— Marcos!... Alô!

Animado, respondeu:

— Socorro, Crânio... estou muito mal, cara... preciso de ajuda...

— ... você está?

Marcos não soube se foi o cansaço, a queda, a sede, a empolgação ou os primeiros efeitos da falta de insulina, mas, de repente, começou a sentir palpitações e taquicardia, sua vista escureceu, um gosto estranho surgiu em sua boca, e ele teve a nítida sensação de que ia desmaiar.

— Crânio, estou morrendo... socorro...

E a ligação caiu.

— Essa não... Jesus, me ajuda...

Aos poucos, a visão voltou ao normal e a sensação de desmaio foi embora, deixando atrás de si um enjoo terrível. Marcos suspirou o mais fundo que conseguiu, com a dor que sentia no tórax. Ficou algum tempo se recuperando. "Crânio parecia bem aflito. A essa altura deve estar todo mundo preocupado comigo. Preciso sair daqui." Pegou o celular de novo e teclou o número da igreja. Fora de serviço. Teclou de novo. Fora de serviço. Mais uma vez. E nada. Desanimado, descansou a mão no colo e mudou um pouco de posição.

— Ai! — a dor do tornozelo veio com força total.

Ofegante, procurou ficar imóvel. Pegou novamente o celular e pressionou o "chamar novamente". Estava chamando! O mesmo que tinha acontecido antes se repetiu: chiados e ruídos. Ouviu então:

— Marcos! Marcos! Onde você está?

— Crânio... eu caí numa espécie de poço. Cara... tô mal. Todo machucado. Preciso urgente de ajuda — ficou em silêncio, recuperando o fôlego, mas não ouviu resposta. Continuou. — Depressa, Crânio, peça ajuda, porque eu preciso... injetar a insulina... senão eu...

Uma pontada de dor o fez interromper. Do outro lado, só chiados. Foi quando seu telefone começou a apitar, indicando que a bateria estava chegando ao fim.

— Para piorar, meu celular tá quase sem bateria...

Marcos lembrou então que não tinha dito onde estava.

— Olha, Crânio... estou no local do último dos sete enigmas, no...

E disse onde ficava o poço em que tinha caído.

— Entendeu, Crânio?

Silêncio.

Chiados.

Ruídos.

— Crânio?... Crânio?... Daniel!... Socorro!

O telefone apagou. A bateria tinha acabado.

Capítulo 4

TERÇA-FEIRA, INÍCIO DA TARDE

> *Vigiem e orem para que não cedam à tentação,*
> *pois o espírito está disposto, mas a carne é fraca.*
> MATEUS 26.41

O hospital municipal era uma construção grande, imponente e cinzenta. Sempre com cheiro de éter pelos corredores, era um local que deixava Daniel um pouco deprimido. Agora, ali estava ele na recepção, onde dezenas de pessoas aguardavam a vez de serem atendidas. Olhou para Valéria, que devolveu um olhar de "e agora?". Tirou do bolso a pista número dois e, juntos, passaram palavra por palavra o enigma escrito por Marcos.

— Certo, estamos no hospital, rodeados de "Lucas" por todos os lados. Vamos ver agora a segunda parte da charada: "Busque a primeira consequência da teimosia do faraó".

— Gatinho, não faço ideia do que é isso.

Daniel tentou se lembrar de todos os faraós mencionados na Bíblia. Tinha o que acolheu Abraão quando ele fingiu que não era marido de Sara. Havia algumas menções menores a outros faraós em livros como 1Reis,

2Reis e Jeremias. Um importante é o que pôs José como governador do Egito. E tinha o que enfrentou Moisés no episódio do Êxodo. "Teimosia..." Pensou no faraó de José, mas não conseguia se lembrar de nada relacionado a teimosia. Pelo contrário, ele foi até bem camarada com José e seu povo. Já o de Moisés...

— Só pode ser ele, pois, quando Moisés foi solicitar que libertasse o povo de Israel, ele foi teimoso e negou. Por isso, Deus mandou... — sorriu — ... as dez pragas!

Pegou sua Bíblia e abriu no livro de Êxodo, no capítulo 7. Correu com o dedo e achou o trecho que fala da primeira praga, entre os versículos 15 e 17:

> Pare à margem do Nilo e encontre-se com ele ali. Não se esqueça de levar a vara que se transformou em serpente. Então diga-lhe: "O SENHOR, o Deus dos hebreus, me enviou para lhe falar: 'Deixe meu povo sair para me adorar no deserto. Até agora, você se recusou a ouvi-lo, por isso, assim diz o SENHOR: 'Eu lhe mostrarei que sou o SENHOR'. Veja! Com esta vara que tenho na mão, baterei nas águas do Nilo, e elas se transformarão em sangue'".

— Sangue! — exclamou Valéria. Puxou o braço de Daniel e apontou para uma placa afixada na parede. O letreiro indicava diversos setores do hospital. E, entre eles, o BANCO DE SANGUE. Só podia ser isso. Os dois seguiram na direção que a seta indicava, tomaram um corredor, depois outro, subiram uma rampa e chegaram diante de uma porta sobre a qual havia uma placa: HEMATOLOGIA. Entraram.

O salão era amplo e nele havia uma série de poltronas espalhadas, ao lado das quais pequenos ganchos sustentavam bolsinhas vermelhas. De cada pessoa sentada em cada poltrona saía um tubo preso ao braço, por onde escorria sangue até as bolsas. Era um posto de doação de sangue.

Daniel olhou em volta, mas não viu o ICHTUS em lugar nenhum. Como era mesmo o final do enigma? "Olhe para quem Nabucodonosor levou para a Babilônia."

— Gatinho, agora que eu não entendi nada — choramingou a ruiva.

Daniel suspirou. Não tinha tempo a perder, mas o pouco que tinha precisava gastar explicando tudo para Valéria.

— No sexto século antes de Cristo, o rei da Babilônia, Nabucodonosor, invadiu o reino de Judá e conquistou Jerusalém. Ele levou milhares de pessoas de lá como escravas para seu país. Os mais conhecidos são quatro jovens, Hananias, Misael, Azarias e... Daniel!

— É isso! Então temos de olhar para você!

— Para mim? Mas não faz sentido. Eu não tenho nenhuma pista comigo.

Pararam e ficaram se entreolhando. Ele abriu a Bíblia e virou as páginas para lá e para cá, procurando uma resposta que não veio. Como em todas as horas em que se via num beco sem saída, Daniel sentiu uma enorme necessidade de orar, pedindo a Deus sabedoria e iluminação.

— Val, vamos orar?

A menina olhou em volta, meio envergonhada.

— Aqui?

— É, o que é que tem?

— Ah, nada a ver, né, gatinho. Seria o maior mico! Além do mais, não vamos perder tempo com isso, né? A gente precisa agir.

Na mesma hora veio à mente de Daniel o versículo que diz: "Se o SENHOR não constrói a casa, o trabalho dos construtores é vão. Se o SENHOR não protege a cidade, de nada adianta guardá-la com sentinelas". Soltou um suspiro meio irritado, mas, assim que ia responder, foi interrompido por uma funcionária vestida de branco que, com um sorriso simpático, veio abordá-los.

— Olá, vocês vieram doar sangue?

Pegos de surpresa, ficaram sem resposta.

— É... ahn...

Com outro sorriso, a funcionária não perdeu tempo.

— É rapidinho. E não dói nada. Não querem? É só se sentar ali, responder a um pequeno questionário e gastar uns minutinhos tirando sangue. Vocês vão ajudar a salvar vidas!

Daniel olhou para o relógio, para Valéria e para o bilhete de Marcos.

— Bem, se for rápido... é sempre bom ajudar o próximo.

Valéria fez uma careta.

— Fala sério, gatinho, dizem que dói para caramba.

A funcionária sorriu de novo.

— É só uma picadinha no braço, e vocês vão ajudar alguém que pode depender disso para sobreviver.

O argumento convenceu Daniel.

— Tá bem, como eu faço?

A funcionária abriu ainda mais o sorriso, virou-se e apontou para um enfermeiro de jaleco branco que circulava entre as poltronas.

— É só falar ali com o Joaquim, que vai explicar tudo.

Daniel olhou para Valéria.

— Você vem?

Ela fez que não com a cabeça.

— Tem muita gente para fazer isso no meu lugar, um a menos não vai fazer diferença. Eu não estou a fim de sentir dor. Vamos fazer assim: enquanto você tira sangue, eu vou dar uma volta por aí para ver se encontro o desenho do peixinho.

Daniel fez cara de reprovação, mas foi só a ruivinha abrir aquele sorriso e ajeitar os cabelos para lá e para cá que ele amoleceu.

— Tá bom....

◆ ◆ ◆

Era hora de enfrentar seu maior medo: as agulhas. Sentado na poltrona, Daniel suava só de imaginar que em instantes teria uma delas enfiada em seu braço. Mesmo assim, decidiu encarar. Era o mínimo que podia fazer, já que estava ali. Quando o enfermeiro Joaquim se aproximou com o material de coleta, Daniel virou o rosto para o outro lado. "Não posso nem ver isso."

— Tudo bem, meu jovem? Eu sou o enfermeiro Joaquim e vou tirar seu sangue. Abra e feche a mão.

Daniel sofria por antecipação. Sentiu Joaquim prender o torniquete de borracha em seu braço, passar álcool no local da picada e...

— Prontinho. Agora é só abrir e fechar a mão.

"Já?", pensou Daniel. Ele praticamente não sentiu nada. Virou o rosto devagar, como que para conferir se a agulha estava mesmo espetada. E não é que estava? Viu o sangue escorrer pelo tubinho e encher o saquinho ao lado. "É... até que foi bem tranquilo." Virou-se para o enfermeiro Joaquim.

— Cara, você tem mãos de anjo, não senti nada, eu...

Foi quando um pingente preso na lapela do jaleco de Joaquim chamou sua atenção. Era nada mais, nada menos que... um ICHTUS! Passados alguns segundos, Daniel piscou, olhou para o enfermeiro e soltou:

— Desculpe... esse pingente...

Joaquim soltou um sorriso maroto.

— Você é da igreja do Marcos?

Sem entender nada, Daniel respondeu:

— Sou. Como você sabe...?

— Qual é seu nome?

— Eu, ahn... Daniel.

— Ah, você é o famoso Crânio? Marcos fala muito de você. Eu sou o Joaquim, o primo dele — e estendeu a mão.

Devagar, ainda caindo a ficha, Daniel cumprimentou-o.

— Muito prazer — diante do silêncio de Daniel, Joaquim continuou. — O Marcos me pediu que eu usasse esse pingente hoje e me falou que, se aparecesse algum jovem da igreja dele aqui, eu lhe entregasse isto — meteu a mão no bolso e retirou um envelope, que estendeu a Daniel. — É todo seu.

Foi então que caiu a ficha. Acostumado a ir direto aos trechos mais conhecidos, esqueceu-se de que é preciso sempre analisar todas as passagens da Bíblia que tratam de determinado assunto para formar um conhecimento mais amplo a respeito de algo. E, entre as pessoas mencionadas na Palavra de Deus que foram levadas cativas para a Babilônia por Nabucodonosor estava ninguém menos que o rei de Judá... Joaquim! Ele abriu o livro sagrado em 2Reis 24.12 e leu:

> Então Joaquim, rei de Judá, a rainha-mãe, os conselheiros, os comandantes e os oficiais se renderam aos babilônios. No oitavo ano de seu reinado, Nabucodonosor levou Joaquim como prisioneiro.

Deu um sorriso. Marcos não só tinha sido esperto, como estava decidido a testar o coração dos jovens da igreja: só encontraria o ICHTUS quem resolvesse ter a grandeza de doar sangue. Quem optasse por dar as costas estaria como Valéria, que examinava um mural preso à parede, completamente perdida.

Quando terminou o procedimento, Joaquim tirou a agulha do braço de Daniel, pôs um adesivo no local e ajudou o rapaz a ficar em pé.

— Agora você pode fazer um lanchinho ali. E obrigado pelo seu gesto. Você pode ter acabado de salvar uma vida.

Daniel agradeceu, mas recusou o lanche, pensando que Valéria também estava com fome e já era hora de os dois almoçarem. Embora tenha hesitado por um instante, optou por não contar a Joaquim o que tinha acontecido com Marcos, para não preocupá-lo desnecessariamente. Agora era ler a terceira pista e partir para o passo seguinte.

◆ ◆ ◆

Os dois se dirigiram para uma lanchonete que Daniel sugeriu. Eles se sentaram e, apesar da fome, não aguentaram esperar e abriram logo o envelope. Então, começaram a ler o bilhete:

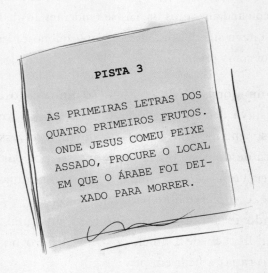

PISTA 3

AS PRIMEIRAS LETRAS DOS QUATRO PRIMEIROS FRUTOS. ONDE JESUS COMEU PEIXE ASSADO, PROCURE O LOCAL EM QUE O ÁRABE FOI DEIXADO PARA MORRER.

Estava difícil se concentrar. Por mais que Daniel quisesse refletir sobre aquele texto, algo o impedia. Os bancos da lanchonete eram bem próximos, e a perna de Valéria roçava o tempo todo na sua. Ele desconfiava que ela estava encostando de propósito, mas não tinha para onde correr. Estaria percebendo um ar sonso naquele rostinho lindo?

— Um hambúrguer e uma cerveja — pediu a menina.

— Também quero um hambúrguer, mas com suco de laranja — disse Daniel.

A comida chegou rápido e ele perguntou:

— Podemos orar agora?

Ela deu de ombros, mas fez que sim. Daniel fechou os olhos e começou:

— Senhor, meu Deus e meu Pai... — e agradeceu pelo alimento, intercedeu pela vida de Marcos e pediu iluminação para que conseguisse decifrar os enigmas seguintes.

—... em nome de Jesus, amém.

Ao abrir os olhos, percebeu que Valéria estivera o tempo todo olhando para ele. E o que viu no rosto dela o assustou. Agora, era um olhar de desejo.

Um frio subiu pela sua espinha. Ficou sem jeito, abaixou a cabeça, pegou os talheres e começou a comer. "Meu Deus, que menina linda..." Por um lado, estava louco para abraçá-la. Por outro, alguma coisa o fazia se perguntar por que ainda estava andando com ela para cima e para baixo. Era como se houvesse um enorme conflito entre sua razão e sua vontade. Entre a carne e o espírito.

Ela soltou um suspiro e começou a comer. Daniel pegou novamente o bilhete.

— "As quatro primeiras letras dos quatro primeiros frutos", murmurou.

— Será que é a maçã de Adão e Eva?

Daniel sorriu, paciente.

— Val, em nenhum momento a Bíblia diz que o fruto da árvore do conhecimento do bem e do mal era uma maçã.

— Não?! — espantou-se.

— Não, isso vem do imaginário popular.

Ficaram em silêncio. Até que Daniel falou:

— Deve ser o fruto do Espírito. A Bíblia diz que o fruto do Espírito é amor, alegria, paz, paciência, amabilidade, bondade, fidelidade, mansidão e domínio próprio.

— Então, as quatro primeiras virtudes do fruto do Espírito são amor... alegria... paz... e paciência. As primeiras letras são "A"... "A"... "P"... e... "P". A, A, P, P? O que isso quer dizer?

Daniel ficou alguns instantes pensativo.

— A e P formam Ap, a sigla de Apocalipse. Mas por que duas vezes? Será Apocalipse capítulo dois?

— Também formam a palavra "Papa".

— "Apocalipse"... "Pai"... "Papa"... não entendo.

Daniel abriu sua Bíblia, virou as páginas para cá e para lá, leu diferentes trechos, mas não conseguiu chegar a nenhuma conclusão. Ficaram alguns instantes em silêncio, pensativos.

— Leia o resto do enigma — disse Valéria.

— "Onde Jesus comeu peixe assado." Essa é fácil, trata-se daquela passagem em que ele se encontrou com os discípulos depois da ressurreição, na praia. Eles assaram peixe e comeram juntos. Está em João 21.

— Bom, então é uma praia.

Começaram a pensar em todas as praias que havia perto do bairro em que moravam.

— Tem a Praia da Rosa, a Praia Bela, a Praia da Lapa...

— Lapa?! É quase "Papa"!

Daniel parou. Pensou. O que estava errado? O que estava deixando passar? Até que...

— É isso!

Valéria se assustou.

— Que foi?!

— Algumas traduções da Bíblia chamam "paciência" de "longanimidade"! Então temos "A", "A", "P" e... "L"! Lapa!

— Bingo! — bateu palmas a ruivinha. — Praia da Lapa! O que estamos esperando? Vamos lá!

Daniel se levantou, empolgado. Pagou a conta e saíram. Então ele se lembrou dos pais de Marcos, do pastor Wilson e dos demais. Deveriam estar aflitos com a falta de notícias.

— Espere aí, Val, preciso achar um orelhão para telefonar.

Valéria olhou para ele com desdém.

— Um orelhão, gatinho? Quem é que liga de orelhão nos dias de hoje? Cadê o seu celular?

Daniel pensou em seu celular quebrado e em sua mãe, que lutava para criar os dois filhos com o pouco dinheiro que recebia de salário e não tinha condições de pagar o conserto do celular. Isso nunca tinha sido um problema para ele. Mas, então, por que agora estava sentindo vergonha de não ter um telefone móvel funcionando? Virou-se para ela e fez algo que não costumava fazer: mentiu.

— É que... eu deixei em casa. Esqueci.

Ela abriu um sorriso e a bolsa, pegou seu aparelho e lhe deu.

— Usa o meu.

Pegou, meio envergonhado, e ligou para o número da casa de Marcos. Um toque e ouviu a voz de seu Valter.

— Alô?!

— Tio, sou eu, Daniel.

— Daniel! Onde você está, rapaz?! O Bruno está aqui em casa desde manhã, veio contar sobre a ligação do Marquinhos. Estamos morrendo de preocupação. Alguma novidade? — Ele podia sentir a ansiedade na voz do pai de Marcos.

— Até agora, não, tio. Ainda estou tentando descobrir onde ele está. Ele não ligou de novo, né?

Daniel sentiu um tom de decepção.

— Não... — depois de um instante, continuou. — Escuta, querido, já chamamos a polícia, e o inspetor Benevides está aqui em casa. Se tiver qualquer novidade, me avisa, sim?

— Pode deixar.

— Vou pedir outro favor. O Marquinhos já está há mais de vinte e quatro horas sem tomar insulina. Estamos muito preocupados com isso. Estava pensando: podemos mandar uma ampola junto com uma seringa, caso você o encontre, para que ele tome a insulina o mais rápido possível? Também dei uma para a polícia.

— Claro, tio! Como é que funciona?

— A ampola parece uma minigarrafinha de vidro, e dentro dela tem uma dose de insulina. A seringa é dessas tradicionais, que vêm com capinha de plástico protegendo a agulha...

"Agulha!", tremeu Daniel.

— ... você precisa quebrar o bico da ampola, destampar a agulha, enfiá-la na ampola e puxar o êmbolo até que todo o líquido tenha passado para dentro da seringa. Entendeu?

— Entendi.

— Vou mandar um estojinho com tudo dentro, certo?

— Pode deixar, tio.

— O Bruno se ofereceu para levar. Onde ele pode encontrá-lo?

— Estou pegando o ônibus agora para a Praia da Lapa.

Daniel conseguiu ouvir o tom de surpresa.

— Praia da Lapa?! Mas isso é meio longe. O que você vai fazer lá?

— Acredite, tio, estou seguindo a pista do Marcos. Se tudo der certo e for a vontade de Deus, a Praia da Lapa é o caminho para descobrir onde ele está.

— Tá bem, então. E, olha... obrigado por tudo, viu?

— Que isso, tio. Diz então para o Bruno me encontrar lá, tudo bem?

Despediu-se, desligou e devolveu o celular. Chegaram ao ponto do ônibus.

— A gente vai pegar ônibus de novo?

Daniel olhou surpreso para Valéria.

— Vamos de táxi, vai. Tá o maior calor e o táxi tem ar-condicionado, né? — A frase era mais uma exigência que uma pergunta.

Ele ficou sem saber o que dizer. Dinheiro para o lanche até tinha, mas para o táxi... ficava difícil. A praia era um pouco longe, a corrida custaria uma fortuna. Estava a ponto de dizer isso para Valéria, mas, quando abriu a boca... saiu outra mentira!

— É que o ônibus é mais arejado, eu prefiro as janelas abertas e...

Nisso, o ônibus chegou ao ponto.

— Olha aí, chegou! — e, rapidamente, pulou porta adentro, desconversando.

A menina subiu, meio contrariada. Passaram a roleta, sentaram e ficaram um tempo em silêncio. Até que Valéria mudou de fisionomia, segurou seu braço e sussurrou no seu ouvido:

— Que aventura, hein, gatinho?

Daniel ficou todo arrepiado. O hálito quente dela em seu pescoço, os cabelos soprados pelo vento em seu rosto, o toque das mãos... tudo o deixava transtornado e abobado. Mas... espere aí! Aquilo não era aventura, era algo muito sério! Era a tentativa de salvar a vida de seu melhor amigo! A vida de Marcos dependia dele! O que essa menina estava pensando, que toda essa situação era uma grande brincadeira? Um jogo? É uma vida em perigo! Que absurdo, isso não é comportamento! O que eu estou fazendo com essa garota? Isso vai contra tudo em que acredito! Tenho que me afastar dessa menina! Tenho que...

— Gatinho, estou louca para beijar sua boca.

Pronto. Daniel ficou como bobo. Parado. Mudo. Sem saber o que fazer. Estático. Estagnado. Ela olhou com aqueles enormes olhos verdes, o sol refletindo em sua pele branca. Que perfume. Que cabelos. Que...

Com um gesto rápido, Valéria passou os braços em torno de seu pescoço, aproximou os lábios e os pressionou contra os de Daniel.

Naquele momento, o mundo à sua volta deixou de existir. Não havia as pregações do pastor Wilson, os conselhos de sua mãe, as instruções da Bíblia em que ele sempre acreditou. Enfim, não havia teoria alguma. Os hormônios estavam em ebulição, e naquele instante eram eles que dominavam a vontade de Daniel.

Durante alguns minutos, ficaram se beijando. E, a cada beijo que dava, ela parecia chegar mais perto, pressionando seu corpo contra o dele. Todo tipo de pensamento proibido invadiu a mente de Daniel. De repente, ele se viu pensando em qual seria o próximo passo, no que viria depois do beijo. Começou a criar as maiores fantasias. Não tinha como evitar. Parecia que algo mais forte o dominava, trazendo para sua mente, como numa enxurrada incontrolável, pensamentos que ele sempre buscou evitar. Pensou em fazer coisas que sabia que eram pecado, mas, lá no fundo, parecia haver uma voz que dizia: "Qual é o problema? Depois você pede perdão a Deus e está tudo certo...".

Quando Daniel se deu conta, o ônibus havia chegado. Ele ficou de pé, ainda meio zonzo, deu sinal de parada e saltou. Estavam em frente à Praia da Lapa, uma faixa de areia estreita e espremida entre duas rochas altas. Tirou o bilhete do bolso, tentou organizar as ideias e leu: "Procure onde o árabe foi deixado para morrer". Mas que árabe? A Bíblia falava alguma coisa sobre algum árabe?

Enquanto pensava, caminhou pela areia até chegar perto da água.

— Ai, que romântico... — soltou Valéria, com um ar bem cheio de segundas intenções.

Os dois se sentaram e imediatamente ela já estava grudada nele, beijando, beijando, beijando. O mundo novamente parecia ter desaparecido. Só havia Valéria. Até que, do nada, a imagem de Marcos em perigo surgiu na mente de Daniel. Naquele instante, ele só teve forças para um rápido clamor: "Não nos deixes cair em tentação...". Após pronunciar aquelas poucas palavras, teve forças para dizer:

— Espere um pouco, Val, me empresta de novo seu celular.

A ruiva parou meio a contragosto, abriu a bolsa e entregou o telefone a Daniel. Ele teclou uma vez mais o número da casa de Marcos.

— Alô?!
— Tio Valter, é o Daniel de novo.

— Alguma novidade?

— Nada... precisava falar com o pastor Wilson, ele está aí?

— Não, querido, ele voltou para a igreja pouco depois do almoço. O Bruno já chegou?

— Não, ainda não. Mas vamos esperar um pouco.

— Tá certo, querido, se descobrir algo me liga.

E se despediram. Daniel teclou o número da igreja. Foi o próprio pastor Wilson quem atendeu.

— Pastor Wilson, é o Daniel.

— Daniel? Alguma notícia?

— Nada ainda — e contou de forma resumida toda a sua saga naquele dia até o momento, deixando de fora os últimos acontecimentos com Valéria. — Estou empacado em um enigma. O senhor pode me ajudar?

— Se estiver ao meu alcance...

Leu a frase para seu pastor.

— Não consigo entender quem é esse árabe.

Fez-se um silêncio por alguns instantes. Então, pastor Wilson comentou:

— Olha, a única relação que vejo com árabes é Ismael, filho de Abraão. Pois a descendência dele se tornou o povo árabe.

"*Touché!*", pensou Daniel. O resto da história ele conhecia. Abriu a Bíblia. O texto de Gênesis 21.14-20 relatava:

> Na manhã seguinte, Abraão se levantou cedo, preparou mantimentos e uma vasilha cheia de água e os pôs

sobre os ombros de Hagar. Então, mandou-a embora com seu filho, e ela andou sem rumo pelo deserto de Berseba.

Quando acabou a água, Hagar colocou o menino à sombra de um arbusto e foi sentar-se sozinha, uns cem metros adiante. "Não quero ver o menino morrer", disse ela, chorando sem parar.

Mas Deus ouviu o choro do menino e, do céu, o anjo de Deus chamou Hagar: "Que foi, Hagar? Não tenha medo! Deus ouviu o menino chorar, dali onde ele está. Levante-o e anime-o, pois farei dos descendentes dele uma grande nação".

Deus estava com o menino enquanto ele crescia no deserto. Ismael se tornou flecheiro e se estabeleceu no deserto de Parã, e sua mãe conseguiu para ele uma esposa egípcia.

Era isso. Ismael, o primeiro árabe, por assim dizer, tinha sido deixado para morrer embaixo de um arbusto. Então, eles tinham de procurar alguma formação vegetal. Foi quando, do nada, o pastor Wilson falou:

— Daniel, posso fazer uma pergunta? Está tudo bem com você?

Tomou um susto. Não, não estava tudo bem. Por um lado, a sua carne estava satisfeita, por beijar aquela menina espetacular. E abraçar. E apertar. Mas, por outro lado, seu espírito gritava. Ele sabia da importância do beijo, da importância de se desenvolver relacionamentos sólidos. E, agora, estava fazendo exatamente o contrário do que sempre tinha defendido, o que o deixava arrasado.

— Tudo, pastor — a vergonha o fez mentir pela terceira vez.

— Porque eu estava aqui orando pelo Marcos e o Espírito Santo me incomodou para orar... por você!

Daniel sentiu um nó no estômago.

— Então ore, pastor.

— Podemos orar juntos?

Olhou para Valéria, que desenhava com o dedo na areia, distraidamente.

— Sim.

O pastor Wilson fez então uma oração em que pedia a proteção de Deus sobre sua vida.

— Amém — concordou Daniel.

— Espero ter ajudado. Qualquer novidade, me liga.

— Combinado, pastor. Deus o abençoe — e desligou.

Daniel olhou em volta. Na rocha que ficava ao canto direito da praia, notou uma pequena formação vegetal. Levantou-se.

— Vamos ali — e saiu andando na frente.

Chegando ao arbusto, não demorou até que seus olhos pousassem sobre uma lata de alumínio posicionada junto ao caule. Nela, o desenho do ICHTUS.

Animado, abaixou-se, pegou a lata e abriu. Dentro, um bilhete dobrado. Foi quando Valéria tomou o papel de sua mão, pendurou-se em seu pescoço e tentou beijá-lo mais uma vez.

— Vem cá, gatinho, vamos comemorar.

Mas, desta vez, algo fez Daniel se desviar dos lábios da ruiva. Diante do espanto dela, falou:

— Valéria, a gente precisa conversar.

— Conversar? Para quê? Tem coisa muito mais gostosa que a gente pode fazer — e tentou beijá-lo de novo. Mais uma vez, ele se desviou. Gentilmente, afastou-a para longe.

— Escute, é sobre o nosso relacionamento...

Valéria interrompeu, com cara de deboche.

— Relacionamento? — e deu uma risada de desdém. — Gatinho, a gente só está ficando, não tem relacionamento. É só curtição.

Era tudo o que Daniel precisava ouvir. Inundado por uma força inesperada, começou a dizer:

— Valéria, vou explicar como eu enxergo esse negócio de "ficar". O beijo para mim é o símbolo maior de algo de que todos nós precisamos desesperadamente, que é o amor. O que o beijo nos diz é: "Gosto tanto de você que estou lhe entregando o que me é mais secreto: a minha intimidade". Mas eu acredito que o beijo também tem um segundo significado. Todo mundo pode olhar para você. Muitas pessoas podem apertar sua mão. Algumas podem abraçá-la. Mas apenas uma tem acesso ao beijo dos seus lábios. Pois ele é um sinal de exclusividade! O beijo é um diamante raro, Val! E o que é precioso não deve ser distribuído por aí. Também entendo que o beijo nos lábios significa uma promessa. "Prometo um relacionamento", diz o seu beijo. Ele é a porta de entrada de um mundo de compromisso, de caminhar junto, de compartilhar a vida. É um meio, não um fim.

Valéria ouvia tudo, calada.

— Val, "ficar" é entregar seu coração em um beijo para quem não o valoriza. Com isso, o nosso beijo perde o valor. E depois? Depois volta-se a uma vida afetiva oca. E os beijos dados sem compromisso são varridos pelo vento da insignificância: não representaram nada.

Valéria cruzou os braços.

— Por isso, antes de qualquer coisa, eu quero pedir perdão a você por tê-la beijado. Eu fraquejei e fiz algo que não deveria ter feito. Por favor, me desculpe, eu errei.

Valéria arregalou os olhos, como se estivesse achando surreal Daniel estar pedindo perdão por ter retribuído seus beijos. Ele continuou:

— Tudo o que é fugaz e insignificante não ajuda a construir nada sólido. Em sua sabedoria, Jesus criou os lábios entre o órgão que simboliza a nossa inteligência, o cérebro, e o órgão símbolo do amor, o coração. Use seus lábios de forma santa, movidos pela razão e pela emoção. Não pela irracionalidade e pelo prazer animal. Não pelo que a sociedade diz que você tem de fazer. E não desaponte aquele que foi crucificado por você depois de ter sido traído... por um beijo. Como eu o desapontei há pouco...

Valéria ouviu tudo calada. Quando ele terminou, o rosto dela estava transtornado, quase irreconhecível. Disparou, com olhar furioso:

— Olha aqui, já são quatro da tarde, passei o dia todo aturando você se fazendo de difícil e só o que consegui foram umas beijocas. E agora esse discurso. Fala sério, Daniel, pensa que eu não vi que você bem que gostou? Agora fica aí, posando de santinho. Tive que ficar andando de ônibus nesse sol, de almoçar em lanchonete... Vou te falar uma coisa: cansei! Quero mais é que você e esse seu amigo se explodam.

Transbordando de ira, a menina virou as costas e saiu chutando areia. De repente, parou, virou-se e...

— Quer saber?

Amassou o bilhete de Marcos e o arremessou no mar.

— Não! — gritou Daniel, e correu para resgatar o pedaço de papel. Uma onda recuou e arrastou a pista mais para o fundo. Ele não pensou duas vezes: entrou na água com roupa e tudo. Outra onda estourou, e o bilhete sumiu no meio da espuma. Daniel sabia que se não agisse rapidamente poderia perder a nota de vista. A vida de Marcos dependia disso!

"Jesus, me ajuda", clamou em silêncio. Com água pela metade da coxa, olhou freneticamente em volta. Foi então que viu, a uns dois metros de distância, o pedaço de papel amassado, sendo levado pela correnteza. Tomou impulso e se atirou na água. Levantou-se todo molhado... e com a pista entre os dedos!

Aliviado, voltou devagar para a areia. Levantou o olhar e viu que, àquela altura, Valéria já estava na calçada, observando de longe... e às gargalhadas. Ficaram se olhando por algum tempo, à distância. Quando ela parou de rir, fez sinal para o táxi que passava. Entrou no carro e, sem olhar para trás, foi embora.

Daniel ainda tentava entender o que tinha acontecido. Tudo foi muito rápido, e ele ainda buscava compreender como Valéria se transformou em tão pouco tempo. E, pensando em como tinha sido fraco, sentiu-se o último dos mortais. Como havia cedido? Como caiu naquela? Foi aí que veio com muita clareza ao seu coração uma verdade: tudo começou quando ele passou a se sentir muito espiritual e de certo modo imune às fraquezas e ao pecado.

Tudo começou com o orgulho e a soberba. E acabou com ele sozinho, em uma praia distante, encharcado da cabeça aos pés, com a roupa cheia de areia. E, por dentro, ele se sentia muito pior do que por fora. Foi quando, tomado de grande arrependimento, caiu de joelhos ali mesmo, na areia, e pediu perdão a Deus. Perdão por sua soberba. Seu orgulho. Sua autossuficiência. Suas mentiras. Tudo isso o levou a praticar aquilo que era o contrário do que acreditava ser certo.

— Perdão, Senhor...

Passou longo tempo em uma oração quebrantada, as lágrimas descendo pelo rosto. De repente, sentiu um toque no ombro. Abriu os olhos. Era Bruno, que olhava para ele com olhar de espanto.

— Oi, Dani. O que aconteceu? Cadê a sua amiga?

Daniel se pôs de pé e resumiu os últimos acontecimentos.

— Que coisa, Dani. Mas você está legal?

O irmão mais velho sorriu, fungando e limpando as lágrimas.

— Agora estou.

— E o que diz o bilhete?

Com todo aquele momento de contrição, tinha se esquecido de ler a nota de Marcos. Decidiu, então, que viraria a página de sua breve história com Valéria, que tinha servido somente para ele aprender algumas boas lições. E, certamente, para que ele jamais caísse novamente na mesma arapuca.

Desamassou o pedaço encharcado de papel e... a tinta estava toda borrada. A água a tinha dissolvido, e agora ela escorria em todas as direções. O que parecia estar escrito era:

"Puxa vida...", pensou. "Que será que significa isso?" Olhou para o irmão, que devolveu o olhar.

— É, Bruno, agora só Deus...

Capítulo 5

TERÇA-FEIRA, EM ALGUM MOMENTO DO DIA

> *Jesus contou a seus discípulos uma parábola para mostrar-lhes que deviam orar sempre e nunca desanimar. Disse ele: "Havia numa cidade um juiz que não temia a Deus nem se importava com as pessoas. Uma viúva daquela cidade vinha a ele com frequência e dizia: 'Faça-me justiça contra meu adversário'. Por algum tempo, o juiz não lhe deu atenção, mas, por fim, disse a si mesmo: 'Não temo a Deus e não me importo com as pessoas, mas essa viúva está me irritando. Vou lhe fazer justiça, pois assim deixará de me importunar'".*
>
> Lucas 18.1-5

Muitas horas já haviam se passado, e Marcos perdera a noção do tempo. Ele não tinha certeza se Crânio o ouvira quando disse o lugar onde estava ou não. A dúvida piorava sua angústia. Se não tinha ouvido, só um milagre faria com que alguém o encontrasse. Por outro lado, a esperança de que sua indicação tinha sido ouvida criava enorme expectativa. Qualquer pequeno ruído o fazia olhar para cima, na esperança de ser o resgate.

Era claro para Marcos que sua situação piorava. As dores no tornozelo, que antes vinham em ondas, agora estavam constantes, sempre fortes. O pulso tinha inchado e estava intumescido e dolorido. A respiração seguia um padrão de inspirações curtas e aceleradas, pois qualquer expansão maior dos pulmões gerava dores agudas e profundas.

Além disso, sentia um mal-estar generalizado. Taquicardia, suores e a sensação constante de desmaio, com diversos blecautes. Em certas horas, era acometido por tonteiras. E a sede! A sede era enorme. Sentia fome, é verdade, mas a sede era agonizante.

Junto a isso, ainda teve de passar por algo humilhante. Nas últimas horas, sentiu grande necessidade de ir ao banheiro e, dadas as suas limitações atuais, teve de molhar as calças. Pior: três vezes.

Seu espírito estava abatido. A impotência e o desamparo roubavam todo o seu ânimo. Tentou algumas vezes religar o celular, mas não havia jeito: a bateria tinha ido para o espaço.

Seus olhos já haviam se acostumado à escuridão, e ele pôde identificar melhor o tipo de lugar em que estava. Certamente era uma espécie de poço, seco já havia algum tempo. O formato circular e a disposição das pedras nas paredes invocavam imagens de poços antigos. Era possível até que fosse centenário. No chão, cuja base era rígida e pedregosa, acumulavam-se detritos: pedras, pedaços de madeira podre e até plásticos velhos.

De repente, seus olhos estacionaram no lado oposto de onde estava. Caído no chão estava nada mais, nada menos que o tesouro da gincana em um pacote embrulhado com papel escuro, selado com fita adesiva. Tinha o formato de um tijolo. Quando Marcos despencou ali dentro, o tesouro foi junto. E tinha ficado até agora esquecido naquele canto. O que seria? Um livro? Um par de sapatos? Ou algo totalmente imprevisível? Sua curiosidade berrava dentro dele. Só que não havia jeito de alcançá-lo. A dor era muito grande e se mexer era impensável. Por isso, optou por ficar ali, aguardando e engolindo a curiosidade.

Sabia que devia buscar auxílio no Senhor, mas tamanho era o mal-estar que não conseguia orar. Seus pensamentos ficavam mais e mais embaralhados, possivelmente em consequência das dores, da falta de insulina, da sede, do estresse mental. Lembrou-se, então, de um hino de que gostava muito, e começou a balbuciar:

— Sim, eu amo a mensagem da cruz... até morrer eu a vou proclamar... levarei eu também minha cruz... até por uma coroa trocar...

"Até morrer...", pensou.

Foi a primeira vez que aquela possibilidade tornou-se real. Sim, ele poderia não sair dali com vida. Na verdade, havia um bom tempo ele encarava a perspectiva da morte com tranquilidade. Meses antes, o pastor Wilson tinha dado um estudo sobre o assunto, quando um jovem da mocidade faleceu em consequência de um atropelamento. A igreja passou por uma grande comoção e seu líder sentiu, então, a necessidade de dar uma palestra sobre o tema. Marcos, de repente, se viu novamente naquela conferência, sentado ao lado de Crânio, ouvindo as palavras do pastor. Estaria começando a delirar?

— Existem algumas verdades que devemos entender sobre a morte — afirmou o pastor Wilson. — Em primeiro lugar, a morte é um evento absolutamente natural. Todos nós vamos morrer, uns mais cedo, outros mais tarde. Humanamente falando, é a única certeza que compartilham todos os bilhões de habitantes do planeta. E, por mais difícil que possa parecer, esse é o curso natural da vida, assim como o rio um dia vai chegar ao mar e deixar de ser rio. Vai virar mar.

— Em segundo lugar — prosseguiu —, a morte tornou-se, em nossa sociedade, sinônimo de derrota. Nos jogos de *video game*, perde quem morre. A bruxa má morre no final da história e a princesa "vive feliz *para sempre*", e não *"até sua morte"*. No cinema é a mesma coisa. Os heróis são os que matam mais inimigos. Nas aulas da escola, aprendemos com Darwin que sobrevive "o mais forte", "o mais adaptado", "o melhor". E, mais uma vez, a morte é associada a inferioridade, a derrota, a ser o pior. Assim, somos adestrados desde sempre a considerar a morte um fracasso total. Só que, se fosse assim, toda a humanidade seria fracassada, pois todos morrerão. Logo, esse pensamento é absurdo.

Marcos definitivamente estava tendo uma alucinação. Em sua miragem, ouviu as palavras do líder da igreja como se estivesse uma vez mais naquela palestra:

— Aqui chegamos ao ponto-chave. A grande questão que devemos nos perguntar é: o que fazemos com a vida enquanto a morte não chega? Isso é o que realmente importa. Os atos que praticamos, as palavras que pronunciamos, as decisões que tomamos... esse é o nosso legado. Isso é o que deve nos preocupar e ocupar nossos pensamentos. Todos morrem. Ficam as memórias. Devemos, então, nos questionar: que lembranças quero deixar após minha morte?

As palavras do pastor Wilson eram firmes.

— Nós nos preocupamos em conquistar bens materiais, fazemos investimentos, juntamos dinheiro na poupança. Mas é importante lembrar que, quando partimos desta vida, deixamos para trás todos os nossos bens, tudo aquilo que vemos nos anúncios da TV: fica nosso *video game*, fica nossa bicicleta, ficam nossas roupas, nosso *smartphone*, tudo. Não levamos nada disso conosco. Ou seja, será que esse tem de ser o foco da nossa vida?

Por fim, ele concluiu:

— Pense em alguém que você amava e que perdeu. Do que se lembra dele? Das coisas que ele *tinha* ou de quem ele *era*? De suas roupas ou de suas qualidades? De igual modo, como você quer ser lembrado após sua morte? Por suas demonstrações de amor ou de ódio? Pela intensa alegria que transmite ou pela tristeza com que contagia os outros? Por ser alguém que semeia paz ou conflitos? Pela paciência com os demais ou pela impaciência? Por ser fiel às pessoas, à verdade e à ética ou por ser alguém em quem não se pode confiar? Pela mansidão ou por um temperamento intratável? Por demonstrar domínio de suas ações ou por ser escravo de impulsos e instintos?

Marcos apertou os olhos. Quando os abriu, estava sentado novamente no fundo pedregoso daquele poço. Quanto tempo havia passado ele não sabia. Voltou o olhar para cima. Cada vez menos luz entrava pela abertura. Era mais um dia que ia embora, junto com o sol. Deviam ser umas seis, sete horas. Não dava para saber. Observou em volta. Sim, encarava a possibilidade da morte com tranquilidade. Mas a verdade é que agora que ela se tornara uma possibilidade real, um estranho sentimento veio ao seu coração.

Subitamente, todas as dores sumiram. Seus olhos escureceram. "Sim, eu amo... a mensagem... da cruz..." Marcos fechou os olhos e viu tudo rodar. Até que seu corpo tombou para o lado, inerte.

◆ ◆ ◆

Todos no ônibus olhavam para ele. Não é por menos: calças compridas, sapatos, camisa social com as mangas dobradas e... pingando dos pés à cabeça. Em suas mãos, um pequeno pedaço de papel se desfazia por entre os dedos.

ICOIO ZÉ DIVIIZ. Será hebraico? Aramaico? Grego? Daniel penava para entender aquela pista. Bruno olhava do papel para o irmão e do irmão para o papel, esperando alguma grande sacada... que estava demorando a vir.

Chegou o ponto. Levantaram, deram sinal e saltaram. "ICOIO..." Seria a cidade bíblica de Icônio? Caminharam até sua casa e entraram pela porta na mesma hora em que o sol se punha. Daniel temia pela vida de seu amigo e começou a achar que já estava demorando mais do que deveria para decifrar os enigmas. Mas... ICOIO ZÉ DIVIIZ? Que ser humano conseguiria decifrar aquilo?

— Meu filho, o que aconteceu com você? — Dona Alzira tomou um susto ao ver o estado de Daniel.

— Oi, mãezinha. Vou tomar um banho e o Bruno conta tudo para a senhora, tá? — deu um beijo em sua mãe e foi para o chuveiro.

"ICOIO..."

Enxugou-se, vestiu-se e sentou-se ao lado de dona Alzira no sofá da sala, enquanto ela lia a Bíblia.

— Filho, você precisa descansar. A polícia está procurando o Marcos, e você tem de dormir cedo para sua entrevista amanhã de manhã na universidade.

É verdade! Ele tinha esquecido completamente que a entrevista para tentar conseguir a bolsa de estudos era no dia seguinte, logo cedo. Mas, naquele momento, sua mente estava ocupada em salvar a vida de seu melhor amigo, que dependia dele.

"ZÉ..."

Esticou o olho. Sua mãe lia o trecho sobre a paixão de Cristo, quando os soldados romanos escreveram uma placa onde se lia INRI, acróstico com as primeiras letras de *Iēsus Nazarēnus, Rēx Iūdaeōrum*, ou "Jesus nazareno, rei dos judeus". De algum modo, aquilo chamou sua atenção.

"DIVIIZ..."

Em latim, o "J" se escrevia como "I". Será que aquelas letras significavam outras letras? "JCOJO..." Não, não fazia sentido. De trás para frente? "OIOCI"? "OJOCJ"? Continuava sem significar nada. "Jesus, preciso de discernimento!", orou em silêncio. De repente, um pensamento pipocou em sua mente. "E se a água, ao borrar a tinta, fez com que números se parecessem com letras?"

Pegou o bilhete e olhou com atenção. ICOIO...

1CO1O...

1Co10...

1Co 10...

— É isso! — gritou, dando um susto em sua mãe.

— Que foi, Daniel? — disse dona Alzira, espantada.

Ele correu, pegou sua Bíblia e comparou com a charada. "ICOIO pode ser 1Co 10. Já ZÉ pode ser..." Fitou com atenção a tinta escorrida. "2É... 25"! E "DIVIIZ... DIV112... DN112... Dn112...ou 11.2...ou 1.12..." Folheou a Bíblia para lá e para cá, com dedos apressados.

— É isso! Bruno, vem cá! — a empolgação tomou conta dele.

— Descobriu?!

— Olha, isso são duas referências bíblicas: 1Coríntios 10.25 e Daniel 1.12!

— E o que dizem?

— Coríntios diz: "Portanto, vocês podem comer qualquer carne que é vendida no mercado sem questionar nada por motivo de consciência". E Daniel: "Faça uma experiência conosco durante dez dias. Dê-nos apenas legumes para comer e água para beber".

— O que têm a ver essas duas passagens? Mercado... legumes... é isso! Legumes no mercado!

— É, o mercado do bairro!

Abraçaram-se, felizes com a descoberta. Daniel olhou para o relógio. Eram dez para as sete. O mercado fechava às... sete horas!

— Tenho de correr!

— Meu filho, você acabou de chegar! Coma pelo menos alguma coisa.

Da porta, Daniel olhou para trás e gritou para sua mãe:

— Não dá tempo, mãe, tenho de correr! A vida do Marcos depende de mim!

— Vou com você, Dani, espere! — gritou Bruno.

— Meninos, vocês...

Daniel nem chegou a ouvir sua mãe. Já ia longe, correndo pela rua em desabalada carreira, com o irmão caçula logo atrás.

◆ ◆ ◆

O mercado ficava na mesma rua da igreja. Era um percurso de quinze a vinte minutos, andando. Mas Daniel corria a toda velocidade, o mais rápido que conseguia. Dobrou à direita na Avenida Martinho Lutero, entrou no Jardim das Oliveiras, atravessou o parque pelo meio do bosque, saiu na Rua das Acácias, seguiu pela Dom Pedro I e chegou à rua da igreja. Olhou para o relógio: sete e dois!

Parou um segundo para tomar fôlego. Olhou para trás e viu Bruno, meio correndo, meio andando, chegando logo atrás.

— Vamos!

Recuperou o fôlego e correu mais um pouco. Quando alcançou a porta do Mercado Baratão eram sete e cinco. Um funcionário já baixava as portas de aço, deixando claro que o expediente tinha chegado ao fim.

— Moço, espere, eu preciso entrar!

Sem olhar para Daniel, o homem fez que não com a cabeça.

— Só amanhã.

Nisso, Bruno chegou, suado e arfando.

— Vamos... lá... Dani...

Daniel olhou para o funcionário, que trancava a primeira porta.

— Moço, é um caso de vida ou morte, por favor, me deixe entrar, não vou demorar nem cinco minutos.

Ainda sem olhar para eles, o homem respondeu um seco:

— Já falei: só amanhã.

Daniel e Bruno se entreolharam. Dois funcionários saíram pela porta que ainda estava aberta.

— Boa noite, seu João.

— Noite.

Seu João puxou a segunda porta para baixo, que correu nos trilhos com um barulho incômodo. O impulso de Daniel foi sair correndo pela abertura e invadir o mercado. Mas, naquele instante, lembrou-se do que tinha aprendido ao invadir a casa do zelador da igreja, Sebastião, duas semanas antes:* nunca mais ir contra as normas. Cometer o mesmo erro seria burrice.

As portas de correr já tinham sido completamente baixadas. Agora, os funcionários que iam embora passavam por uma portinha menor.

— Ô guri, não falei que agora só amanhã? Tá fazendo o que aí ainda?

Daniel olhou para ele com uma postura firme.

— Escute, eu tenho uma missão muito importante: salvar a vida do meu melhor amigo! Só que para isso preciso entrar aí!

Seu João deu uma risadinha.

— Bem, e para isso precisa comprar meio quilo de farinha e um saco de feijão, né? Tá pensando que eu nasci ontem, ô guri? — e fez que ia entrar. Daniel segurou a porta. Naquele momento, veio à sua mente o versículo que diz: que "Deus se opõe aos orgulhosos, mas concede graça aos humildes".

— Moço. Por favor... estou implorando.

Seu João parou e hesitou um instante.

— Não posso, guri. O gerente está aí. São as regras. Volta amanhã. — E fechou a portinhola atrás de si.

Daniel e Bruno se olharam. E agora? Marcos estava perdido sabe Deus onde, passando por dificuldades, sem sua insulina, provavelmente sem se alimentar... não tinha como esperar até a outra manhã. Cada minuto era

---

* Ver O *enigma da Bíblia de Gutenberg*.

precioso. Além disso, no dia seguinte Daniel tinha de estar bem cedo na universidade para tentar conseguir aquela bolsa de estudos. Seu futuro dependia disso. A vida de Marcos e a sua própria dependiam de que conseguissem entrar naquele mercado. E tinha de ser *agora*. Estufou o peito, engoliu em seco e olhou para o irmão.

— Vem, Bruno.

E começou a esmurrar a porta de aço. Depois de um momento de hesitação, o caçula juntou-se a ele.

— Ei! Ei! Abre! Eu preciso entrar! Ei! Seu João! Por favor! Abre a porta!

Quem passava pela rua olhava assustado. O barulho produzido pelas pancadas na porta era muito alto. Até que...

— O que é isso? Que escândalo é esse?

A portinhola se abriu e um homem meteu o corpo para fora. Pendurado em seu peito, um crachá revelava: EVANDRO/GERENTE. Daniel parou de bater.

— Seu Evandro, preciso muito de ajuda — e, em poucas palavras, contou tudo o que estava acontecendo. — Se o senhor não me deixar entrar, o meu futuro e o de meu amigo estarão em perigo. Nossas vidas estão em suas mãos.

Daniel olhou para o homem com olhar de expectativa.

— Bem... essa história parece coisa de filme. Mas só tem uma forma de saber se é verdade — e chegou para trás, fazendo gesto aos dois que entrassem. Atrás dele, seu João e mais um funcionário olhavam, atônitos.

O jovem fez um sinal de agradecimento com a cabeça e disparou porta adentro, indo direto para a seção de legumes. Chegou diante das bancadas e começou a procurar o ICHTUS. Bruno chegou e juntou-se a ele na busca. Reviraram cenouras, beterrabas, pepinos, alfaces, berinjelas... e nada. Parados perto deles, os três funcionários do mercado olhavam com expectativa. Daniel foi para a seção de frutas. Olhou todas as bancadas. Ficaram quase meia hora ali, esquadrinhando cada pedaço. Então, o gerente se pronunciou.

— Olha... não tem nada aí. Será que você não entendeu errado o tal do enigma? Tentei ajudar, mas preciso ir embora, minha esposa está em casa me esperando. Desculpe.

Daniel e Bruno pararam. Será que aquele era o lugar errado? Poderia ser outro mercado. Mas era ali que todos faziam compras no bairro... por que Marcos escolheria outro? Olharam para os três homens. Bruno abaixou os olhos. Foi o primeiro a seguir em direção a eles.

— Vamos, Dani. Mamãe deve estar preocupada.

Só que algo impedia Daniel de se mexer. Alguma coisa lhe dizia que aquele era o lugar. Mas onde?

— Vamos, Dani.
— Vamos, guri.
— Vamos, rapaz.

Até que entregou os pontos. Abaixou os olhos e fez que sim com a cabeça.

— Vamos lá.

Os cinco caminharam em direção à saída. Seu João abriu a portinhola.

— Espero que você consiga ajudar seu amigo, guri.

Evandro olhou para ele com pena.

— Olha, vá para casa, coma alguma coisa, beba uma água e descanse. Quem sabe repousando você...

Mas a cabeça de Daniel já estava em outra dimensão. "Beba uma água", disse o gerente. O que a passagem de Daniel 1.12 dizia mesmo? "Legumes para comer e água para beber." Ele só tinha atentado para metade do versículo! E, ora bolas, não estava cansado de saber que a Bíblia é para ser lida meditando em cada palavra, que tudo tem importância, que não se pode excluir nenhum trecho?

— Onde estão as bebidas? — interrompeu.

Os quatro olharam para ele sem entender.

— As bebidas! Onde ficam?

Seu João apontou para o fundo do mercado. Daniel saiu correndo. Chegou à gôndola de água mineral. Começou a repetir o ritual. Olhou em cima, de um lado, de outro, passou a mão por baixo...

Foi quando tocou em algo. Um pequeno volume preso com fita adesiva na parte de baixo da prateleira onde ficavam as garrafas. Deu um puxão e o volume soltou. Nisso, os outros quatro chegaram, a tempo de vê-lo esboçando um sorriso vitorioso. Em suas mãos, um envelope com um peixe desenhado.

❖ ❖ ❖

— Boa sorte, guri, desculpe qualquer coisa.

— Espero que você consiga achar seu amigo.

Daniel e Bruno agradeceram e se afastaram do mercado, enquanto acenavam com a mão para os três homens, num gesto de despedida. Ansiosos, caminharam uns passos. Foi Bruno quem disse:

— Abre logo, Dani, vamos ler.

Ele concordou. Rasgou o envelope e abriu o papel que vinha dentro. O texto dizia:

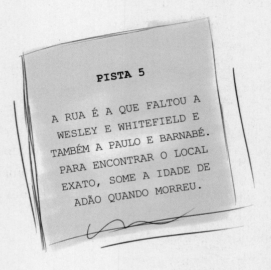

PISTA 5

A RUA É A QUE FALTOU A WESLEY E WHITEFIELD E TAMBÉM A PAULO E BARNABÉ. PARA ENCONTRAR O LOCAL EXATO, SOME A IDADE DE ADÃO QUANDO MORREU.

— Que bizarro...

— O que significa isso? — Bruno fez cara de interrogação.

— Vamos para casa tentar descobrir isso juntos enquanto jantamos — respondeu Daniel.

Capítulo 6

TERÇA-FEIRA, EM ALGUM MOMENTO DO DIA

> *Permitam que a paz de Cristo governe o seu coração, pois, como membros do mesmo corpo, vocês são chamados a viver em paz.*
> COLOSSENSES 3.15

A barata saiu da toca. Era uma rachadura na pedra, úmida, escura e segura. Nas últimas horas, porém, sua sensação de segurança havia ido embora. Tudo em razão de uma coisa que nunca experimentara antes: um ser que tinha dezenas de vezes o seu tamanho aparecera do nada e importunara a calma de seu pequeno império. Mas, nos últimos minutos, tudo voltara ao que era antes. Não havia movimento nem barulho.

Pôs as antenas para fora e checou a movimentação. Uma grande tranquilidade reinava. Decidiu sair e analisar como estava a situação mais de perto. Logo de cara soube que, apesar de não haver movimento, o terreno estava diferente. Bem próximo à rachadura onde se abrigava, havia um objeto enorme, retangular. Chegou mais perto. Analisou. Era duro. Liso. Coberto com papel. Sim, ela conhecia papel, já roera muito.

Com suas patas aderentes, escalou o objeto e andou para lá e para cá, com passos apressados. Em pouco tempo, perdeu o interesse. Afinal, para uma barata, o tesouro que o pastor Wilson havia preparado para o vencedor da gincana não tinha muito apelo. Balançou as antenas e percebeu que, logo adiante, do outro lado de seus domínios, havia algo muito maior. Decidiu explorar.

Em cadência acelerada, desceu do pacote, caminhou por entre pedras e outros detritos e chegou a uma coisa muito estranha. A borracha da sola do sapato de Marcos não era algo muito familiar para ela. Analisou. Tocou. Roeu levemente. Mas não lhe apetecia. Resolveu escalar e seguir em sua exploração.

Agora estava pisando sobre algo mais familiar. Tecido. Parou por um bom tempo, roeu alguns fios... mas também não era muito interessante. Foi adiante. Prosseguiu pisando em um tecido mais duro e molhado por alguns passos. Até que...

Couro! Ela adorava couro! O cinto de Marcos era um petisco raro e saboroso. Resolveu passar algum tempo ali, mastigando aquela delícia. Passada meia hora, satisfeita e contente, decidiu continuar sua caminhada. Com passinhos cautelosos, foi mais para cima e entrou em contato com algo muito estranho. Um pouco elástico, úmido, com um odor que nunca sentira antes. Pôs as antenas para funcionar e tentou definir o que era aquilo. Difícil, já que nunca havia tido contato com a pele de um ser humano.

Andou mais para cima, contornando as curvas sinuosas da mandíbula de Marcos. Testou com as patas o terreno. Que estranho! Havia cerdas saindo do chão, o que tornava o deslocamento mais complicado. Se ela jamais tinha encostado numa pessoa, imagine então na barba de alguém!

Foi aí que algo a atraiu. Parecia a rachadura em que vivia. Mas tinha algo diferente. Era mais úmida e possuía um leve odor adocicado. Tateou de leve, pata ante pata. Roeu um pouco, e aquele pedaço de pele se soltou com facilidade. Que delícia! Ali seria um grande banquete. Era só continuar roendo a pele ressecada do lábio inferior de Marcos e teria um petisco de primeira. Sem mais receio de nada, começou a se alimentar daquele delicioso manjar.

◆ ◆ ◆

Saboreando um delicioso frango assado na mesa de jantar, Daniel discutia com o irmão e a mãe a respeito do enigma. Gostava de conversar com dona Alzira, pois, com os anos a mais de vida, ela tinha algo que dinheiro nenhum compra: experiência e conhecimento.

— Não entendo, mãe. Faltou uma rua a essas pessoas?

Ela segurou o papel, leu atentamente e comentou:

— Bem, primeiro é importante saber quem foram John Wesley e George Whitefield. E buscar um pouco mais sobre a vida deles. Vocês sabem quem foi essa dupla?

Bruno fez que não com a cabeça, entre uma garfada e outra. Já Daniel, "o Crânio", falou:

— Eu sei que foram grandes pregadores do passado. Mas que relação tinham, não faço ideia.

Dona Alzira fez um gesto com a mão, pedindo que esperassem. Foi até a estante da sala e pegou um livro sobre a vida de John Wesley.

— Vamos ver... — e começou a folhear. — Olha só, aqui diz o seguinte: Whitefield e Wesley eram grandes amigos de juventude, que estudaram juntos na Universidade de Oxford, onde criaram o metodismo. Wesley desenvolveu seu ministério principalmente na Inglaterra e Whitefield, nos Estados Unidos. Eram muito amigos, mas, em certo momento, entraram em atrito e chegaram a trocar ofensas pessoais, porque Wesley cria no arminianismo e Whitefield, no calvinismo.

— Ih, mãe, traduz — riu Bruno.

— Olha, os dois são sistemas teológicos bem complexos, mas o ponto central da discussão é que o calvinismo crê que Deus elegeu algumas pessoas para irem para o céu e outras para o inferno, ou seja, predestinou umas para a salvação e outros para a perdição.

— E o arminianismo?

— Essa doutrina crê que a salvação parte de Deus, que estende sua graça ao homem perdido, mas que o pecador pode aceitar ou rejeitar o convite divino.

— Mas as duas doutrinas são cristãs?

— A Bíblia dá base para as duas. Tanto que algumas igrejas são calvinistas, como a presbiteriana, e outras são arminianas, como a maioria das pentecostais.

— Entendi. Mas o que faltou a eles?

— Acho que a resposta está aqui nesta passagem — respondeu dona Alzira. — Escutem só o que Whitefield escreveu numa de suas cartas ao amigo, quando estavam no auge do conflito: "Por que deveríamos discutir, quando não há nenhuma probabilidade de se chegar ao convencimento? Não chegaríamos a destruir o amor fraternal e abandonar insensatamente aquela sincera união [...] que sempre prevaleceu entre nós?".*

— E quanto a Paulo e Barnabé?

— A resposta está aqui — dona Alzira levantou-se novamente, andou até a estante e pegou a Bíblia de Daniel. — Atos dos Apóstolos, capítulo 15, a partir do versículo 36: "Algum tempo depois, Paulo disse a Barnabé: 'Voltemos para visitar cada uma das cidades onde pregamos a palavra do Senhor, para ver como os irmãos estão indo'. Barnabé queria levar João Marcos, mas Paulo se opôs, pois João Marcos tinha se separado deles na Panfília, não prosseguindo com eles no trabalho. O desentendimento entre eles foi tão grave que os dois se separaram. Barnabé levou João Marcos e navegou para Chipre".

— Engraçado, mais dois cristãos que brigaram por bobeira — comentou Bruno.

— Pois é. E então, olhando para as histórias dessas duas duplas de grandes homens de Deus e lendo esse trecho da biografia de Wesley, o que vocês acham que faltou a eles?

---

* Mateo Lelièvre, *João Wesley: sua vida e obra*. São Paulo: Vida, 1997.

Os dois irmãos ficaram um instante em silêncio. Foi Daniel quem falou primeiro:

— Já sei: união!

Dona Alzira sorriu.

— Isso, filho! União! Que, aliás, é um dos grandes problemas da igreja cristã desde a época de Paulo, passando pelo século dezoito de Wesley e chegando até os dias de hoje. Em vez de nos unirmos pelos laços de amor e fé que Cristo estabeleceu, ficamos de implicância uns com os outros, o que, na maioria das vezes, não leva a nada.

Os dois irmãos balançaram a cabeça, concordando.

— Bem, se o que faltou a eles foi uma rua, a próxima pista está na...

Os três juntos falaram:

— A Rua da União!

A Rua da União era nada mais, nada menos que a rua da casa de Marcos. Daniel leu o resto do enigma:

— "Para encontrar o local exato, some a idade de Adão quando morreu."

Agora foi a vez de os três ficarem quietos, pensativos. Dona Alzira virou as páginas da Bíblia. Foi até a passagem que fala da morte de Adão.

— Gênesis 5.5. Tudo o que diz é: "Adão viveu ao todo 930 anos e morreu".

— Só isso?

— Só.

Essa era boa. Mas, de repente, Daniel deu um salto.

— É isso!

— O quê? — perguntou Bruno.

— A próxima pista deve estar na Rua da União, número 930.

— Qual é o número da casa do Marcos? — lembrou Bruno.

Daniel pensou e respondeu, desanimado:

— Quatorze. É bem longe.

Pararam e se entreolharam. Dona Alzira virou-se para o filho mais velho. Ela já sabia o que estava se passando pela cabeça dele. Olhou para o relógio. Eram onze e meia. Deu um suspiro.

— Filho, eu sei que o Marcos está numa situação muito difícil. E sei também que não adianta nada eu pedir que você fique em casa e passe essa pista para a polícia, pois você não vai conseguir ficar sossegado. Mas lembre-se, por favor, de que a sua entrevista para a bolsa de estudos é amanhã, às oito horas, no centro da cidade. Pelo amor de Deus, não perca a hora, pois nós não temos como pagar o curso, e essa bolsa é a nossa única esperança de você ir para a universidade.

Daniel sentiu o peso da responsabilidade. Ele sabia que eram o seu futuro e o de sua família que estavam em jogo. Mas, agora, sua preocupação era o seu melhor amigo, que corria risco de vida. Veio à sua mente a frase que tinha ouvido Marcos dizer ao telefone: "Estou morrendo...". E isso havia um dia e meio! Ele precisava correr contra o tempo, não tinha um minuto a perder. Seu sono podia esperar.

— Pode deixar, mãe. Agora, preciso correr.

Bruno fez menção de que ia acompanhá-lo.

— E você, mocinho, pode se arrumar para ir para a cama. Você é muito novo para ficar andando por aí a esta hora da noite.

— Mas mãe... — choramingou Bruno.

— Nem "mas" nem menos. Já para a cama. — Bruno ainda buscou apoio nos olhos do irmão, mas eles pareciam dizer "você ouviu a chefe...".

— Bem, vou lá, então. — Daniel deu um beijo em sua mãe, passou a mão na cabeça do caçula e saiu. Pegou sua rua até o final, dobrou a esquina e caminhou por sete quarteirões. Foi quando deparou com a placa: RUA DA UNIÃO. Olhou para a numeração das casas.

Ao longe, ouviu um trovão. Uma chuva despontava no horizonte.

Voltou a se concentrar. "A casa número dois." Foi andando. Quando passou em frente à casa de Marcos, parou. As luzes do interior estavam acesas. Era possível ouvir um som que lhe rasgou o coração: o da mãe de seu amigo chorando. Aquilo só o incentivou a prosseguir, para tentar salvá-lo.

"A vida dele depende de mim. A vida dele depende de mim", seguia repetindo em pensamento. Resoluto, apressou o passo. "82... 86... 88... a vida dele depende de mim... 92... 94... 98... a vida dele depende de mim..." Sentiu um pingo na testa. Depois outro. E mais outro. E muitos outros. A chuva estava chegando para valer. Então...

— Ué...

A rua tinha acabado. E a última casa era a 120.

— Não pode ser...

A chuva caiu com toda a força. Daniel correu e se abrigou sob uma marquise. Parou um instante para recobrar o fôlego. Meteu a mão no bolso e desembrulhou o bilhete. Olhou-o detidamente, enquanto pensava no que estaria errado. Se 930 não era o número de uma casa, o que poderia ser? Ficou uns bons minutos meditando, sem conseguir encontrar uma resposta.

"A casa em que morreu Adão..."

A chuva aos poucos se acalmou, até se transformar em um chuvisco incômodo, mas inofensivo. Daniel deixou a marquise e voltou pelo mesmo caminho por onde tinha vindo. Seus passos acompanhavam o pensamento, mas as alternativas estavam se esgotando. Começou a ficar irritado e impaciente. Chegou novamente na porta da casa de Marcos. A luz permanecia acesa, mas não se ouvia mais o choro. Sentiu enorme necessidade de buscar auxílio em Deus. Enquanto andava de um lado para outro na chuva fina, começou a orar:

— Senhor, meu Deus e meu Pai... — e derramou-se numa angustiada súplica ao Senhor.

◆ ◆ ◆

Pastor Wilson abriu os olhos. Geralmente, ele dormia como uma pedra. Apagava e ia até a manhã seguinte numa estirada só. Não costumava ter insônia. Nem mesmo levantar para ir ao banheiro ele levantava. Mas, desta vez, acordou de repente, sem sono. Não houve sequer uma pequena sonolência. Estava completamente desperto. "Que estranho...", pensou. Virou a cabeça e olhou para o relógio na cabeceira de sua cama. Eram três horas e quarenta e três minutos.

Tentou dormir. Inutilmente. Virou para o lado. Virou para o outro. Virou de novo. De barriga para cima. De bruços. Nada. Desistiu de pegar no sono, sentou-se na cama e calçou os chinelos. Levantou-se e caminhou até a sala. Sentou-se no sofá. Levantou-se novamente. Andou até a janela. Olhou para fora. Ainda estava tudo escuro e chovia forte. Ficou alguns segundos admirando as gotas que escorriam pela vidraça. Foi quando, do nada, um pensamento veio à sua mente: ele precisava ir à igreja.

Achou graça do próprio pensamento. Ele só costumava chegar à igreja às oito da manhã. Primeiro lia o jornal do dia, depois reservava um período para a oração e a leitura da Bíblia. Às dez, começava a receber membros que precisavam de atendimento pastoral. Por isso, pensar em ir para a igreja às quatro horas da madrugada soava como um despropósito.

Mas o impulso era muito forte. Novamente, teve a nítida percepção de que precisava ir à igreja. Desta vez, o pensamento veio como uma certeza. Por mais ilógico que soasse, do nada aquela ideia parecia fazer sentido. Pastor Wilson era um homem espiritual, aberto à voz de Deus. Assim, pôs-se de joelhos diante do sofá e orou.

— Fala, Senhor, que o teu servo ouve.

Nada de extraordinário aconteceu. Não caiu um raio do céu. Não teve nenhuma visão. Nenhum anjo apareceu.

O que ocorreu foi que aquele mesmo pensamento voltou acompanhado de um ardor no coração. Não importava quão ilógico aquilo parecesse. Pastor Wilson se levantou e se dirigiu ao banheiro. Tomou um banho, fez a barba e vestiu-se. Aproximou-se bem devagar da esposa, Ester, que dormia. Deu um beijo em seu rosto, o que a fez despertar.

— O que houve, Wilson?

Ele lhe deu outro beijo e despediu-se:

— Vou à igreja.

♦ ♦ ♦

Daniel orava, andando de um lado para o outro. "A vida do Marcos depende de mim..." Na medida em que não conseguia desvendar o real significado do quinto enigma, uma angústia crescia em seu peito. "Pai, mostra-me o caminho". Foi quando...

Os olhos de Daniel repousaram na casa ao lado da de Marcos. Não tinha nada de extraordinário, a não ser por dois detalhes. As luzes também estavam acesas. Mas não foi isso que chamou sua atenção. Pregado à parede, acima do botão da campainha, havia um pedaço de papel. Nele, com a tinta escorrida por causa da chuva, o desenho de um peixe. Não havia dúvidas: era o ICHTUS.

Daniel ficou paralisado. Procurou com os olhos o número da casa: 12. O que aquilo tinha a ver com a morte de Adão?

— Vamos pensar. Foram 930 anos. "Para encontrar o local exato, some a idade de Adão quando morreu."

Somar... seria para somar os números? 9 + 3 + 0 é igual a... 12!

Um sorriso estendeu-se no seu rosto. "Uau, essa foi difícil! Marcos pegou pesado."

Bem, então era isso: Rua da União, 12. Mas... e agora? O que fazer? Observou cada pedaço do muro da casa. Nada. Nenhum envelope à vista. Acontece que o ICHTUS estava pregado junto à campainha. Será que Marcos queria que os participantes da caça ao tesouro a tocassem? Se ele tivesse chegado ali num horário decente, não pensaria duas vezes. Só que era plena madrugada. Ele não fazia ideia de quem morava ali. E agora?

Ficou parado um bom tempo, decidindo o que fazer. Foi quando viu uma sombra passar na frente da janela da casa. Havia alguém acordado! Aquilo facilitava as coisas. Aproveitou e, de um pulo, meteu o dedo no botão.

BZZZZZ!!!

Daniel esperou um momento. Nada. Hesitou um instante. Então pressionou de novo.

BZZZZZ!!!

Desta vez, notou uma movimentação. Alguém se aproximou da janela e puxou a cortina para o lado, observando pela fresta aquele jovem molhado pela chuva ali parado, em plena madrugada. Após alguns segundos, a sombra se afastou da janela. Daniel ouviu passos arrastados e, por fim, o barulho do trinco da porta. Lentamente, ela se abriu, permitindo que visse uma figura encurvada, enrugada, fantasmagórica, com o rosto deformado e a voz rouca e cavernosa, que olhou para ele de cima a baixo e sussurrou:

— Finalmente. Esperei por você o dia todo.

◆ ◆ ◆

A barata já estava satisfeita. Resolveu dar uma volta e explorar um pouco mais aquele terreno estranho, novo e cheio de surpresas. Deu três passos e parou diante de algo que se assemelhava a dois buracos profundos. Ela percebeu que por eles passava uma corrente de vento. Decidiu averiguar mais de perto. Introduziu uma de suas antenas o mais que pôde. Balançou-a para cá e para lá, até que...
SLAP!!!
As cócegas no nariz serviram para trazer Marcos de volta à consciência. Por reflexo, passou a mão no rosto, com um tapa, lançando longe seja lá o que estivesse provocando aquilo. Piscou lentamente os olhos, tomando consciência de onde estava e do que estava acontecendo. Não demorou muito e a dor e a sede o lembraram do problema em que estava metido. Cheio de vontade de ir ao banheiro, não suportou e aliviou-se ali mesmo.

Olhou para o alto. Metros acima, a boca do poço estava escura. Por ela caíam gotas pesadas de chuva, que molhavam seu rosto. Certamente, tinha ficado desmaiado por muitas horas, pois ou era noite ou madrugada. O corpo inteiro doía. O estômago roncava de fome. E um grande enjoo o fazia pressionar as mãos contra a barriga. Percebeu que estava fraco e sem forças. Tentou erguer seu tronco e sentar-se, mas os músculos pareciam não obedecer.

Então, foi invadido pela consciência de que poderia estar chegando ao fim de sua vida. "É isso...", pensou. "É assim que termina a carreira de Marcos Siqueira... no fundo do poço." Até achou graça do trocadilho. Riu pela primeira vez desde que havia despencado ali dentro. Riu e riu mais um pouco. Mas seu riso foi se transformando em soluços e, quando se deu conta, chorava sem parar.

Pensou em seus pais, em Crânio, nos amigos da igreja. Pensou em todo o tempo de sua vida que desperdiçou com bobagens, com discussões inúteis, com atitudes egoístas e mesquinhas. Em tudo o que poderia ter feito de bom e não fez. Pensou nas pessoas que poderia ter ajudado e não ajudou. Pensou no sentido de sua vida e nas iniciativas que empurrava para depois porque, afinal, tinha uma vida inteira pela frente.

Agora, porém, percebia por que a Bíblia dizia que a vida que Deus nos dá "não é mais longa que alguns palmos", e que diante de Deus "toda a existência não passa de um momento; na verdade, o ser humano não passa de um sopro". Quantas horas mais de vida teria ele não sabia dizer, mas certamente não eram muitas. Ele quase podia sentir o que ainda restava de vida escorregar por seus dedos.

Parou de chorar. Pensou em Jesus. Pensou na cruz. E deixou escapar por entre os lábios uma oração curta e sincera.

— Pai... se queres que eu viva... socorre-me neste exato minuto... mas, se chegou a minha hora... entrego em tuas mãos o meu espírito...

Deu um longo suspiro e fechou os olhos. Eram três horas e quarenta e três minutos.

Capítulo 7

QUARTA-FEIRA, INÍCIO DA MADRUGADA

A religião pura e verdadeira aos olhos de Deus, o Pai, é esta: cuidar dos órfãos e das viúvas em suas dificuldades e não se deixar corromper pelo mundo.

Tiago 1.27

— Vai ficar aí na chuva ou vai entrar?

Essa era a grande questão. Daniel não esperava que saísse da casa uma figura tão assustadora. Tentou discernir melhor a aparência da pessoa à sua frente. Corcunda, com uma enorme protuberância nas costas, unhas longas como garras, cabelos brancos e uma pele escura e cheia de marcas. A ausência de dentes na boca transformava sua voz rouca em algo de filme de terror. A verdade é que ficou com medo. Muito medo. Sua vontade era largar tudo e dar no pé. Mas um pensamento o fez dar o primeiro passo em direção à porta.

"A vida de Marcos depende de mim."

Tomou coragem, subiu os degraus da entrada e atravessou a porta.

TUM!

O som da porta batendo atrás de Daniel provocou nele um arrepio que subiu do dedão do pé ao topo da cabeça. Agora ele estava ali, trancado com aquela criatura monstruosa. Ninguém sabia onde ele estava. Se desaparecesse, como Marcos, ninguém teria ideia de seu paradeiro. Será que aquele ser horripilante tinha feito algo a seu amigo? Esse pensamento transtornou Daniel. Já tinha ouvido falar de sequestro, homicídio, todo tipo de maldade contra jovens e crianças, causados por pessoas com as mais variadas motivações. Eles simplesmente desapareciam e ninguém nunca mais ouvia falar deles. E agora ali estava ele, desprotegido. O que aconteceria, só Deus sabe.

Virou-se e, sob a luz da lâmpada, pôde examinar melhor a criatura. Era uma senhora de idade. Olhos amarelados. A corcunda a fazia olhar meio de lado. Reparou que ela também o examinava. De repente, aquela bruxa fez um gesto rápido e enfiou a mão direita no bolso.

— Ah!

Daniel se assustou. Retesou-se todo, a adrenalina lançada em profusão em sua corrente sanguínea. Preparou-se para o que quer que aquele ser assustador fosse tirar dali. Podia ser uma arma. Uma faca. Ou algo assim. Aqueles segundos pareciam horas. Até que ela, finalmente, retirou a mão do bolso e enfiou na boca... uma dentadura!

O que Daniel viu e ouviu a seguir o deixou profundamente envergonhado. A senhora abriu um sorriso simpático, caminhou a passos curtos até ele e o abraçou com carinho.

— Obrigada por ter vindo visitar esta velha viúva solitária. Quando Marquinhos disse que viriam jovens da igreja conversar um pouquinho comigo eu nem acreditei.

Ela pôs as duas mãos sobre as bochechas de Daniel, sorriu e caminhou até uma porta.

— Vem — disse, chamando com a mão.

Daniel arrastou os pés, ainda um pouco surpreso. A sala ao lado era um cômodo decorado com muito bom gosto. Parecia um quartinho de bonecas, com cortininhas, bibelôs e fotos nas paredes. Sobre uma mesa, um lanche farto esperava por Daniel, incluindo biscoitos, pães de tipos variados, geleias, sucos e bules de diferentes formatos.

— Vou esquentar o chocolate — sorriu a velhinha, segurando um dos bules e desaparecendo pela porta da cozinha.

Daniel ficou só. Ainda tentando entender o que estava acontecendo, olhou em volta, meio sem graça. Sem saber o que fazer, caminhou até a parede e começou a olhar as fotos. A primeira, amarelada e desbotada, mostrava uma bela criança negra abraçada a um casal de adultos. A segunda, uma jovem de pele escura com um sorriso lindo, vestida de normalista, em meio a muitas outras jovens. Um passo ao lado permitiu a Daniel ver a terceira foto, na qual a mesma jovem se encontrava cercada de criancinhas com aparência de muito humildes. A seguinte mostrava novamente aquela bonita moça abraçada a muitas crianças descalças. Embaixo, um papel emoldurado trazia um monte de assinaturas de nomes escritos com letras de criança e a dedicatória:

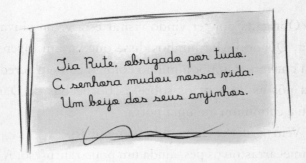

Tia Rute, obrigado por tudo. A senhora mudou nossa vida. Um beijo dos seus anjinhos.

— Eram meus alunos.

A senhora estava já havia algum tempo em silêncio atrás de Daniel, apenas observando. Ele se virou.

— Esta é a senhora?

— Sim. Na época em que fui a Angola como missionária, pregar o evangelho e alfabetizar crianças pobres — respondeu com aquela voz rouca.

Daniel arregalou os olhos, surpreso.

— A senhora é cristã?

— Sim, desde criança. Veja só — puxou seu braço e apontou para a primeira foto —, este é meu pai, o pastor Alexandre, e minha mãe, irmã Fidelina, que Deus os tenha.

Deu o braço carinhosamente a Daniel, como se estivessem passeando por um jardim. Apontou para outra foto, onde a mesma jovem das outras imagens já aparecia mais velha, com um corte de cabelos diferente e outro estilo de roupas. Ao lado dela, um menino e um homem de pele bem escura. Todos sorriam com alegria. Em seguida, havia um monte de fotos da mesma criança e do casal em diferentes situações. Quando chegaram à última foto, a velha senhora abaixou os olhos e o sorriso desapareceu de seu rosto. Tudo o que sobrou foi um ar distante.

Daniel percebeu que não havia fotos recentes. Olhou para sua anfitriã e ficou calado, respeitando o silêncio dela.

— Venha — voltou a sorrir —, senão seu chocolate vai esfriar.

Caminharam até a mesa e se sentaram. Ele não estava com fome, mas não poderia fazer desfeita. Agradeceu e começou a tomar chocolate e beliscar os biscoitos. Como se tivesse lido os pensamentos dele, dona Rute disse:

— Meu marido e eu estávamos fazendo uma viagem de missões a Santos. Viajávamos de trem, com nosso filho. Foi quando houve um terrível acidente. O trem descarrilou, e isso provocou uma explosão na caldeira. Nosso menino morreu na hora.

Daniel sentiu tristeza por aquela mulher.

— E seu marido?

Após um instante de silêncio, ela prosseguiu:

— Quando a caldeira explodiu, o vapor escaldante invadiu os vagões, incinerando tudo pelo caminho. Quando ele viu a fumaça chegando, se atirou em cima de mim para me proteger. Foi o último gesto heroico do meu eterno amor, o presbítero Gerson.

Daniel olhou para o homem da foto. De fato, um verdadeiro herói. Um verdadeiro cristão. Um homem de Deus. Mesmo sem nunca tê-lo conhecido, sentiu orgulho dele. Seus olhos se voltaram para a anfitriã.

— E a senhora?

— Eu fiquei muito queimada. Meu rosto ficou em carne viva, e perdi a visão do olho esquerdo. Também tive fraturas pelo corpo e precisei colocar um monte de pinos nas costas. Foi como fiquei assim — e apontou para a sua corcunda.

Daniel não sabia o que dizer. Como pôde ser tão preconceituoso? Como pôde ser tão... tão... tão... raso em seu julgamento daquela bela senhora? Daquela *linda* senhora? Sentiu uma vergonha tão profunda que mal conseguia erguer os olhos da xícara. Tentou mudar de assunto para espantar o ódio que sentiu de si.

— Dona Rute, em que igreja a senhora congrega?

Agora foi a vez de ela baixar os olhos.

— Ah, meu filho... faz anos que não piso numa igreja.

Daniel se surpreendeu. A velhinha notou a cara de surpresa de seu convidado. Deu um suspiro e prosseguiu.

— Depois do acidente eu fiquei internada no hospital por dois longos anos. Foi uma recuperação lenta e dolorosa. Muito dolorosa. — Seus olhos se encheram de lágrimas.

O jovem percebeu que ela estava se emocionando e fez um gesto para que não prosseguisse. Mas a anciã segurou sua mão com gentileza e continuou:

— Na primeira semana, uma caravana de irmãos foi ao hospital me ver. Na segunda, o grupo das senhoras veio me visitar. Na terceira, o pastor e a mulher dele. Na quarta, só o pastor. Na quinta, uma irmã foi um dia. Depois, nunca mais apareceu ninguém. Por dois anos!

Daniel perdeu a fala. Dona Rute sorriu.

— Passei praticamente dois anos internada sozinha, sem ter ninguém com quem conversar. Ninguém para desabafar. Ninguém que orasse por mim. Que me abraçasse. Que chorasse comigo.

Agora foram os olhos de Daniel que se encheram de lágrimas. Dona Rute alisou o vestido e continuou:

— Quando recebi alta, decidi que viveria minha fé em casa, com Jesus. Não senti mais nenhuma vontade de ir à igreja. De lá para cá este tem sido meu santuário — e olhou em volta.

Por mais que Daniel soubesse que era impossível viver a fé sem ter vida em comunidade, conseguiu compreender o que se passava no coração daquela velha senhora. Havia mais cicatrizes em sua alma do que em sua pele. Dona Rute abriu um grande sorriso:

— Desde que o irmão Valter e sua esposa se mudaram para a casa ao lado, o Marquinhos tem sido a flor do meu dia. Já tem alguns anos que ele vem me visitar toda semana. É um menino de ouro. Uma companhia e tanto.

Daniel se admirou. Conhecia Marcos desde criança e nunca tinha ouvido falar de dona Rute. Naquele momento, entendeu com clareza o que era aplicar na prática o versículo de Mateus 6.3, que diz: "Quando ajudarem alguém necessitado, não deixem que a mão esquerda saiba o que a direita está fazendo". Seu amigo levava alegria àquela vida ferida e solitária sem nunca fazer disso um motivo para ser engrandecido pelos outros. Era a caridade feita como tem de ser: em silêncio. Era a verdadeira religião.

De repente, lembrou-se do motivo de estar ali. Voltou-se para a velha senhora e disse:

— Dona Rute, preciso lhe perguntar uma coisa: quando o Marcos disse que viriam jovens da igreja visitá-la ele pediu que a senhora entregasse algo a eles?

Ela pôs a mão nos cabelos de algodão.

— É mesmo! Ainda bem que você me lembrou! — Levantou-se e caminhou até uma penteadeira com ares de centenária. Abriu uma gaveta e tirou de lá o pedaço de papel. — Pediu que entregasse isso.

Daniel recebeu o bilhete, abriu e leu:

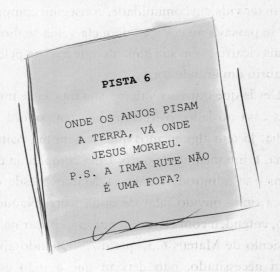

PISTA 6

ONDE OS ANJOS PISAM A TERRA, VÁ ONDE JESUS MORREU.
P.S. A IRMÃ RUTE NÃO É UMA FOFA?

Daniel não pôde conter o sorriso. Seu amigo tinha armado tudo para que ela recebesse a visita dos jovens e adolescentes da igreja. Imagine se a caça ao tesouro não tivesse sido cancelada, que animação teria sido aquela casa no dia anterior. O que o fez pensar:

— Irmã Rute, não é muito tarde para a senhora estar acordada? Não estou atrapalhando seu sono?

Ela balançou a cabeça.

— Meu filho, depois que passei dos noventa, não durmo mais de três ou quatro horas por noite.

Daniel levantou as sobrancelhas, admirado. Ela riu.

— É isso mesmo. Tenho mais de noventa anos. Noventa e cinco, para ser mais precisa — abaixou o olhar, envergonhada. — Meu aniversário é hoje — olhou para um antigo relógio de parede. — Ou melhor, foi ontem.

Agora tudo fazia sentido. O fato de ele estar ali era o presente de aniversário de Marcos para a irmã Rute: calor humano.

Foi quando ela fez uma cara triste.

— Só não entendi por que o Marquinhos não apareceu para me ver, como tinha prometido.

Daniel ficou sério.

— Irmã, preciso lhe contar algo.

E descreveu tudo o que tinha acontecido ao longo daquele dia, todos os percalços, os enigmas, as desventuras até chegar ali. Quando terminou, percebeu que talvez não devesse ter contado aquilo. Não sabia se o coração frágil daquela senhora tão idosa conseguiria aguentar aquela notícia triste e potencialmente trágica. Ficou um instante calado, à espera de uma reação emocional, lágrimas, algo do tipo. Mas o que viu foi irmã Rute franzir a testa, bater com o punho na mesa e dizer com uma voz firme:

— E o que estamos esperando? Vamos decifrar logo esse enigma!

❖ ❖ ❖

Pastor Wilson chegou à igreja. O sol já começava a lançar os primeiros raios no horizonte. Eram cinco horas da manhã, e ele ainda não tinha entendido por que exatamente estava ali. Não havia nenhuma reunião marcada, nenhum compromisso. Só havia aquele impulso de se fazer presente na igreja.

A porta estava trancada. Até aí nenhuma novidade, pois só duas pessoas tinham a chave: ele e o zelador Sebastião, que só chegaria às oito horas. Abriu e caminhou até o gabinete. Destrancou a porta e acendeu a luz. Foi até sua mesa. Sentou-se. Permaneceu alguns momentos pensativo. "E agora, Senhor?", questionou. Nenhuma resposta. A sensação é de que já tinha feito o que tinha de fazer. Mas a verdade é que ainda não fizera nada! Só abrira a igreja.

De repente, ouviu um barulho seco. Ficou em silêncio. Ouviu de novo. Desta vez, era o som de passos. Ficou escutando. Não havia dúvidas: alguém tinha invadido o templo. E agora? Parou para pensar. "Estou sozinho. Se algum ladrão tiver invadido, o que vou fazer? Vou ter de resolver no mano a mano?" A ideia nem de longe o agradava, pois detestava violência.

Decidiu investigar. Por via das dúvidas, precisava proteger sua integridade física. Olhou em volta. Encostado no vão entre o armário e a parede estava um cajado de pastor de ovelhas, que um amigo havia trazido de presente da Espanha. Nunca havia tido serventia. Ficava ali mais como um objeto simbólico. Mas agora poderia representar a diferença entre a vida e a morte.

Segurou firme aquele pedaço de madeira sólida e pesada. Apagou a luz e, pé ante pé, seguiu pelo saguão de entrada. Nada. Ninguém. Vislumbrou a escada que levava até o salão de cultos. Sua respiração estava pesada e ofegante. Pisou no primeiro degrau. No segundo. Conseguia ouvir as próprias batidas do coração. Terceiro. Quarto. Quinto. As mãos apertavam a madeira do cajado nervosamente. Sexto. Sétimo. E assim foi, até chegar ao último degrau. Foi então que viu algo que fez um calor subir pelo peito e as pupilas dilatarem. Em meio à penumbra da manhã, conseguiu distinguir claramente a silhueta de um homem remexendo no púlpito.

Parou um segundo, pensando no que fazer. Se fosse chamar a polícia, uma viatura poderia demorar o tempo suficiente para o homem fugir, levando alguma coisa preciosa. Abaixou-se. O invasor andava para lá e para cá mexendo na cruz que ficava por trás do púlpito. Era uma cruz de madeira com adornos de prata que, se derretidos, dariam um bom dinheiro. Agora tinham ficado claras as intenções daquele ladrão. Era preciso impedi-lo! E só ele estava ali para fazer isso.

Em silêncio, pastor Wilson seguiu abaixado pelo corredor lateral, até chegar à beira do púlpito. No mesmo instante, o ladrão conseguiu soltar a cruz da parede e a segurou em seus braços. A hora era essa!

Tomou impulso e correu a passos largos por trás do ladrão, o bastão erguido acima de sua cabeça.

— Aaaaaaaaaaahh!!!! — gritou, a adrenalina a mil. Fechou os olhos e desceu o bastão com toda força na cabeça do invasor.

❖ ❖ ❖

Irmã Rute pôs os óculos e leu o bilhete. Sorriu ao ver a parte que falava sobre ela. Mas logo retomou o ar de seriedade.

— "Onde os anjos pisam a terra" — parou um momento e falou a mesma coisa que se passava pela cabeça de Daniel: o sonho de Jacó. Abriu sua Bíblia.

— Nova Versão Transformadora? — surpreendeu-se Daniel.

Irmã Rute riu.

— Está pensando o quê? Sou velha, mas gosto de coisa nova.

Ele se divertiu e pegou o livro que ela lhe estendeu, aberto em Gênesis, capítulo 28, a partir do décimo versículo.

> Nesse meio-tempo, Jacó partiu de Berseba e rumou para Harã. Quando o sol se pôs, chegou a um bom local para acampar e ali passou a noite. Encontrou uma pedra para descansar a cabeça e se deitou para dormir. Enquanto dormia, sonhou com uma escada que ia da terra ao céu e viu os anjos de Deus, que subiam e desciam pela escada.
>
> No topo da escada estava o SENHOR, que lhe disse: "Eu sou o SENHOR, o Deus de seu avô, Abraão, e o Deus de seu pai, Isaque. A terra na qual você está

deitado lhe pertence. Eu a darei a você e a seus descendentes. Seus descendentes serão tão numerosos quanto o pó da terra! Eles se espalharão por todas as direções: leste e oeste, norte e sul. E todas as famílias da terra serão abençoadas por seu intermédio e de sua descendência. Além disso, estarei com você e o protegerei aonde quer que vá. Um dia, trarei você de volta a esta terra. Não o deixarei enquanto não tiver terminado de lhe dar tudo que prometi".

Então Jacó acordou e disse: "Certamente o SENHOR está neste lugar, e eu não havia percebido!". Contudo, também teve medo e disse: "Como é temível este lugar! Não é outro, senão a casa de Deus; é a porta para os céus!".

Na manhã seguinte, Jacó se levantou bem cedo. Pegou a pedra na qual havia descansado a cabeça, colocou-a em pé, como coluna memorial, e derramou azeite de oliva sobre ela. Chamou o lugar de Betel, embora anteriormente se chamasse Luz.

— Concordo com a senhora, também acho que a primeira parte do enigma fala desta passagem. No sonho de Jacó, certamente os anjos que desciam pela escada pisavam a terra em Betel. Agora, o que quer dizer a segunda parte? "Vá onde Jesus morreu"?

— É tão fácil, você não vê?

Daniel fez cara de surpresa.

— Bem, de cara eu penso na cruz. Mas não pode ser, é óbvio demais. Temos de tentar entender o que Marcos quis dizer com isso.

Irmã Rute tentou falar, mas Daniel prosseguiu.

— De repente, ele está se referindo ao coração dos pecadores, mas aonde isso nos leva? Ou talvez se refira a Jerusalém. Tem algum lugar por aqui que se chame "Jerusalém"? Uma loja, uma rua?

Irmã Rute tentou novamente. Em vão.

— Jesus morreu num país que era parte do Império Romano, que na época era a nação dominante. Hoje, quem domina o mundo são os Estados Unidos. Será que a pista está no consulado americano? Ou... — Daniel percebeu o olhar de reprovação de sua anfitriã. Parou. Quando ela viu que podia falar, inclinou-se sobre a mesa em direção a Daniel. E falou baixinho:

— Querido... você está cometendo o mesmo erro que muitas pessoas cometem quando leem as Escrituras: em vez de buscar a simplicidade, em vez de perceber que em muitas passagens o que a Bíblia diz é exatamente o que ela diz, ficam buscando milhares de interpretações. Por exemplo: quando Jesus diz "ame o seu próximo", não está fazendo um profundo tratado teológico. O que ele está dizendo é... *ame o seu próximo!* Percebe?

Daniel encantou-se com a sabedoria daquela senhora. Ela segurou o bilhete e mostrou para ele.

— Este enigma é o mais fácil de todos. Quando o Marcos indicou Betel, é só pensar: o que significa essa palavra?

— "Casa de Deus" — respondeu, buscando na memória.

— Exato — sorriu. — E o local onde Jesus morreu foi a cruz. A preciosa cruz. Você não precisa buscar latitude e longitude. Logo, a próxima pista está numa cruz que está na casa de Deus. E o que é a casa de Deus?

"É claro!", pensou. "Que maravilha é ter alguém experiente e sábio para nos apontar o caminho." Olhou para aquela velhinha deformada, torta, cheia de cicatrizes e verrugas. E não aguentou: levantou-se da cadeira, deu-lhe um abraço apertado e longo e sapecou uma série de beijos nas suas bochechas.

— Irmã Rute, não foi o Marcos quem pôs a senhora na minha vida: foi Deus.

— E você na minha, meu querido.

Ficaram se fitando, em admiração mútua. Até que Daniel pronunciou:

— Preciso partir. Tenho de ir até nossa igreja, a pista com certeza está escondida atrás da cruz do altar. Mas, antes... — ajoelhou-se ao lado da cadeira de irmã Rute. — Vamos orar para que Deus aja nessa situação e eu possa encontrar logo o meu amigo, pode ser?

Ela abriu o maior sorriso que sua dentadura lhe permitia.

— Claro. Vamos lá.

E ambos oraram, concordando em um só espírito, por muitos minutos.

—... e que tu ajas neste exato minuto, Pai. É o que pedimos em nome de Jesus, amém!

Daniel se levantou e olhou para o antigo relógio: eram três horas e quarenta e três minutos. Deu mais um beijo em irmã Rute e correu para a porta.

— Fique com Deus! — e saiu.

Ela caminhou com passos curtos e apressados até a porta e gritou:

— Espere! Você ainda não me falou seu nome!

O jovem se virou sem parar de andar e respondeu:

— Daniel! — e sumiu na noite, sem se importar com a chuva pesada que caía.

Irmã Rute entrou, trancou a porta e olhou para uma das fotos de seu filho, que repousava sobre uma mesa. Escrito com uma tinta um pouco apagada, se lia uma dedicatória:

Sorriu, enquanto uma lágrima escorria por seu rosto.

Capítulo 8

QUARTA-FEIRA, FINAL DA MADRUGADA

> *Pois vocês sabem muito bem que o dia do Senhor virá inesperadamente, como ladrão à noite. Quando as pessoas disserem: "Tudo está em paz e seguro", então o desastre lhes sobrevirá tão repentinamente como iniciam as dores de parto de uma mulher grávida, e não haverá como escapar. Mas vocês, irmãos, não estão na escuridão a respeito dessas coisas e não devem se surpreender quando o dia do Senhor vier como ladrão.*
> 1Tessalonicenses 5.2-4

O cansaço começou a pesar sobre Daniel. Cada gota de chuva parecia lembrá-lo de que, além de ter andado o dia inteiro, estava até então sem dormir. "A vida de Marcos depende de mim", pensou novamente. Então, o descanso podia esperar. Seus passos o levavam para a igreja, mas, subitamente, lembrou-se de uma verdade que tinha passado despercebido: àquela hora da madrugada, não haveria ninguém lá para abrir a porta. Ele precisava acordar o pastor Wilson.

Parou no primeiro orelhão que encontrou. Quando foi puxar o cartão telefônico, lembrou-se de que sua carteira, com tudo dentro, tinha ficado em casa, secando, perto dos objetos que estavam em seu bolso quando entrou no mar de roupa e tudo na tarde anterior. "Essa não..." O único jeito era ir à casa do pastor pessoalmente, acordá-lo e pedir que fosse com ele até a igreja. Eram uns vinte minutos de caminhada de onde estava, então não tinha tempo a perder. Andou apressadamente pelas escuras e desertas ruas do bairro. Por fim, chegou à casa onde morava pastor Wilson. Tocou insistentemente o interfone, até que ouviu um clique e uma voz sonolenta falar do outro lado:

— Alô...

Meio sem jeito, Daniel respondeu:

— Irmã Ester? Desculpe acordá-la tão tarde. Aqui é o Daniel, da igreja. Posso falar com o pastor Wilson?

— Daniel... isso é hora de você estar na rua?

Impaciente, ele não tinha tempo para explicar.

— É urgente, irmã! A senhora pode chamar o pastor Wilson, por favor?

Depois de alguns instantes de silêncio, ela falou:

— Ele já saiu, Daniel. Faz uns cinco minutos que ele foi para a igreja. Se você correr é capaz de alcançá-lo no caminho.

Ele não entendeu nada. "O pastor Wilson não é de ir para a igreja de madrugada", pensou. Mas, no final das contas, achou aquilo muito conveniente.

— A senhora tem certeza de que ele foi para a igreja?

— Foi o que ele me disse. O que está acontecendo, hein? — sua voz mudou de tom.

— Nada, irmã Ester, só preciso alcançá-lo. Que horas são, por favor?

— Vinte para as cinco.

— Obrigado, irmã. E desculpe por acordá-la!

— Espere, Daniel...

Mas o jovem já corria com o que lhe restava de fôlego em direção à igreja. Correu e correu, caminhou um pouco e correu novamente. Quando dobrou a esquina da rua da igreja, os primeiros raios de sol já começavam a surgir no horizonte. De longe, viu quando o pastor Wilson destrancou a porta e entrou no templo. "Bem na hora", pensou.

Estava exausto e se permitiu caminhar devagar até a igreja. Girou a maçaneta da porta, que estalou: estava aberta. Entrou. Tudo escuro. Deixou a porta bater atrás de si. Pensou em ir direto falar com o pastor, mas a curiosidade de checar se o último enigma da caça ao tesouro estava mesmo junto à cruz do púlpito foi maior.

Subiu as escadas até o andar superior. A alvorada começava a transformar a escuridão em penumbra. Percorreu o corredor central até chegar ao púlpito. Subiu e foi direto à cruz, que ficava presa por ganchos à parede. Olhou por um lado e pelo outro. Não sabia como retirá-la. Tentou puxar, mas nada.

Correu com os dedos pelo vão que havia entre ela e a parede... "É isso!" Pôde sentir o envelope colado na parte de trás. Mas o ângulo não permitia puxar. Decidiu que o jeito era mesmo remover a cruz dos ganchos. Segurou com força e, de um tranco, suspendeu e puxou.

A cruz saiu em seus braços. Como era pesada! Ia pousá-la no chão, quando ouviu algo que o fez se arrepiar todo: um alto e sonoro berro:

— Aaaaaaaaaaahh!!!!

Arregalou os olhos e viu com o canto do olho uma sombra que avançava em sua direção. Não teve muito tempo para pensar. Agiu pelo instinto e na base do reflexo. Encurvou-se para o lado, a tempo apenas de sentir alguma coisa rígida chocar-se contra a sua orelha, raspando a lateral de sua cabeça.

— Aiiiiiiii!!!

Desequilibrado, caiu no chão, abraçado à cruz. A pancada tinha sido de raspão, mas forte o suficiente para deixá-lo atordoado. Levantou os olhos esbugalhados, a tempo de ver o pastor Wilson, com uma cara ainda mais espantada que a sua, olhando fixamente para ele.

— Daniel?!

O jovem passou a mão nos cabelos e sentiu alguma coisa quente sair em seus dedos. Levou a palma à frente dos olhos e viu a mão cheia de sangue.

◆ ◆ ◆

Sentado no gabinete, Daniel esperava pacientemente enquanto pastor Wilson limpava a ferida com água oxigenada e algodão, o *kit* de primeiros socorros aberto sobre a mesa.

— Pressione firme para estancar o sangue.

O jovem segurou o algodão com força sobre a ferida.

— Desculpe, pastor. Eu não deveria ter entrado no templo sem avisá-lo de que estava aqui.

— Tudo bem, agora. Temos é de dar um jeito em você. Sua camisa está toda molhada e suja de sangue. Que perigo, amado, eu poderia ter rachado a sua cabeça. Ainda bem que foi só esse cortezinho.

Subitamente, Daniel lembrou-se da razão que o tinha levado até ali naquela hora. Recusou.

— Depois, pastor. Agora temos de ler o bilhete que está atrás da cruz — e contou o que tinha acontecido ao longo daquele dia até chegar ali. Pastor Wilson ouviu tudo, compenetrado. Ao final, disse:

— Amado, você já fez mais do que devia. Agora temos de passar essas informações à polícia. Sua mãe provavelmente está preocupada, e você precisa dormir e descansar. Aliás, sua entrevista na universidade não é agora de manhã?

Era verdade! Em meio a tudo o que estava acontecendo, a entrevista tinha caído no esquecimento. Olhou para o relógio de mesa do pastor. Quinze para as seis. Tinha de estar às oito na universidade. Mas ali estava ele, molhado e sujo de sangue. E, por mais que entendesse que a vida de Marcos dependia dele, não podia desapontar sua mãe e comprometer seu futuro. Foi obrigado a balançar a cabeça, em concordância.

— Está certo. Mas não vai dar tempo de voltar para casa. Será que o senhor tem uma camisa para me emprestar?

— Tenho, sim. No almoxarifado ficam as camisas do coral, eu empresto uma para você. Vou buscar.

Pastor Wilson saiu, deixando Daniel sozinho. Deu um longo suspiro e relaxou na cadeira. Até que...

Seus olhos bateram no envelope com o sétimo e último enigma, que o pastor havia deixado sobre a mesa. Hesitou um instante, mas não resistiu. Estendeu a mão, rasgou o invólucro e leu o conteúdo da nota.

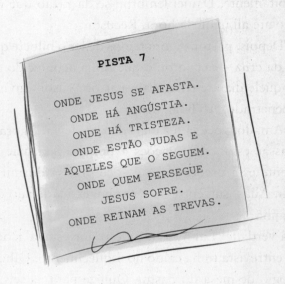

PISTA 7

ONDE JESUS SE AFASTA.
ONDE HÁ ANGÚSTIA.
ONDE HÁ TRISTEZA.
ONDE ESTÃO JUDAS E AQUELES QUE O SEGUEM.
ONDE QUEM PERSEGUE JESUS SOFRE.
ONDE REINAM AS TREVAS.

Nisso, pastor Wilson chegou com a camisa e uma toalha. Olhou para o papel.

— Deixe-me ver, enquanto você se arruma.

Daniel caminhou até o banheiro, com aquela charada na mente. Tirou a blusa, lavou o rosto e os cabelos. Secou-se e vestiu a camisa. Quando retornou ao gabinete, encontrou o pastor Wilson com o bilhete na mão, profundamente imerso em seus pensamentos.

— O que você acha?

Daniel foi rápido.

— Pastor, acho que está se referindo ao inferno.

O pastor Wilson sorriu.

— Eu também.

Daniel prosseguiu:

— O inferno é um lugar onde os pecadores ficam afastados de Jesus, onde há angústia e tristeza. Sobre Judas, é natural crer que, ao se suicidar, ele foi para o inferno. Além disso, o inferno é lugar de sofrimento para aqueles que perseguem Cristo. E, por fim, é o reino das trevas.

— Isso aí! — sorriu pastor Wilson. — Temos de pensar agora a que lugar o enigma se refere.

Isso já era mais difícil. Pensaram um tempo. Pensaram mais um pouco. De repente, Daniel deu um pulo.

— A fundição!

Num local um pouco afastado do bairro havia uma velha fundição abandonada, local que no passado tinha sido usado como uma fábrica em que se fundiam metais. Era um galpão enorme, em ruínas, escondido por trás de um grande muro cinzento. Uma vez que estava caindo aos pedaços, tinha muitas armadilhas em potencial, como fornalhas velhas, alçapões, câmaras, poços... e era o que mais se assemelhava àquilo que o imaginário popular concebia a respeito do inferno: nos tempos áureos, as dependências da fundição viviam cheias de fogo, faíscas voando, fumaça negra...era uma ambiente infernal. E não seria difícil que Marcos tivesse ficado preso em alguma daquelas armadilhas.

Pastor Wilson sorriu.

— Sim, a fundição!

Os dois se abraçaram, felizes.

— Espero que não seja tarde demais — disse Daniel, com um sorriso que tentava esconder sua aflição. Em seguida, olhou para o relógio. Eram seis e meia. O pastor Wilson falou com seriedade:

— Só que, agora, isso passa para as mãos da polícia. Eles devem assumir a partir daqui. Você já fez até mais do que se poderia esperar.

— Que nada, pastor, a vida do Marcos dependia de mim.

Pastor Wilson fez um olhar grave, pôs uma mão no ombro de Daniel e disse, em voz baixa:

— Sobre isso, amado, é importante continuar orando, pois não sabemos em que condições vamos encontrá-lo. Pode ser até que... — interrompeu a frase, para não dizer aquilo que os dois já estavam pensando. Após um segundo de silêncio, levantou a cabeça, como que para espantar um mau pensamento, e deu um sorriso:

— Agora você faça o favor de se mandar para a sua entrevista e garantir o seu futuro. Vou estar em oração por você!

Daniel deu um passo à frente e abraçou fortemente aquele homem que considerava um pai.

— Pode deixar, vou sim.

— E desculpe por isso — o pastor apontou para o curativo em sua cabeça.

— Imagina, não foi nada. Bem, vou lá — Daniel deu um tapinha nas costas dele e dirigiu-se para a porta. Em cima do computador havia uma Bíblia na Nova Versão Transformadora. Ele reconheceu na hora. Era a Bíblia que Marcos tinha comprado especialmente para preparar os enigmas da caça ao tesouro. Voltou e a segurou.

— Posso levar para ler no ônibus?

— Claro — sorriu o pastor.

Daniel saiu, então, do gabinete, deixando para trás a sensação de dever cumprido e seu pastor, ao telefone. As últimas palavras que ouviu foram:

— Alô? Inspetor Benevides? Desculpe ligar a esta hora, mas tenho informações muito sérias sobre o paradeiro do jovem Marcos Siqueira...

Capítulo 9

QUARTA-FEIRA, DE MANHÃ

Este é meu mandamento: Amem uns aos outros como eu amo vocês. Não existe amor maior do que dar a vida por seus amigos.
João 15.12-13

Daniel estava muito feliz. Entrou no ônibus que o levaria ao centro da cidade e sentou-se junto à janela. Agora era uma questão de tempo. A polícia e os bombeiros iriam à antiga fundição e encontrariam Marcos. Tinha certeza de que, ao voltar da entrevista, receberia ótimas notícias. A vida do amigo dependera da melhor pessoa possível: ele, o Crânio!

Feliz consigo mesmo, abriu a Bíblia e resolveu matar o tempo de viagem que tinha pela frente lendo seu livro preferido. Escolheu uma página e começou a ler. O ônibus corria bem pelas ruas do bairro, que às dez para as sete da manhã ainda estavam vazias. Foi então que o mundo de Daniel virou de pernas para o ar.

Seus olhos se fixaram em um trecho da Bíblia. Sua respiração parou. Leu de novo. Não podia acreditar. Olhou para a frente. Olhou para a Bíblia. Leu uma terceira vez.

Mordeu os lábios, refletindo sobre o que fazer. Pensou que seu futuro dependia de comparecer àquela entrevista. Balançou nervosamente as pernas. Apertou forte as mãos. Que fazer? De um salto, pôs-se em pé e gritou:

— Motorista, pare!

O motorista olhou pelo espelho, assustado.

— Pare! Pare! Preciso descer! Pare!

O ônibus deu uma freada brusca. Afobado, Daniel correu para a porta de saída e saltou para a calçada. Olhou em volta, tentando se localizar. Estava exausto, mas não tinha tempo a perder. Começou a correr pelo meio da rua.

Correu, correu e correu.

"Jesus, me ajuda...", orou, entre uma arfada e outra. Entrou por uma rua, dobrou em outra. Enquanto corria, sua mente estava a mil. Os pulmões começaram a queimar. Parou. Apoiou as mãos nas coxas e, curvado, tentou recuperar o fôlego. Ficou assim por uns dez segundos e voltou a correr, percorrendo todo o caminho de volta.

Por fim, entrou na rua em que morava. Chegou à porta de sua casa e tocou a campainha com nervosismo. Bruno apareceu na porta, assustado.

— Bruno, pega a insulina e a seringa e vem atrás de mim! — e continuou em desabalada carreira.

Toda descabelada, ainda meio dormindo, dona Alzira chegou à porta a tempo de ver o filho em cadência acelerada, já distante.

— Mãe, vou lá, beijo! — Bruno saiu atrás, sem se preocupar com a chuva.

— Mas... — dona Alzira ficou para trás, segurando as bordas de sua camisola, sem entender o que se passava. "Por que ele não está a caminho da entrevista, meu Deus?"

Daniel dobrou à direita na Avenida Martinho Lutero. Seguiu por ela até entrar no parque municipal que chamavam de Jardim das Oliveiras. Parou para respirar. Algum tempo depois, viu seu irmão, que chegava ao seu lado.

— O que está acontecendo? — perguntou, intrigado.
— É o Marcos.

Bruno olhou espantado para o irmão. Daniel respirava fundo, tentando recuperar o fôlego. Diante do olhar intrigado do caçula, explicou:

— Eu acabei de mandar a polícia procurar o Marcos no lugar errado. Vem.

Prosseguiram pela trilha do parque até um ponto do bosque em que a mata era mais fechada. Era uma região por onde as pessoas temiam seguir, primeiro porque era muito deserta e por vezes frequentada por marginais, e segundo porque havia construções velhas e não seria difícil alguém se machucar. Daniel olhou em volta e abandonou a trilha, embrenhando-se por entre a vegetação. Seguiu mais um pouco, até um lugar ermo, onde havia uma espécie de pedreira.

— Esta é uma região do parque à qual geralmente não vem ninguém. Procure qualquer sinal dele — apontou para a área, com um gesto largo. Foi por um lado e Bruno, pelo outro.

Andou por entre as pedras. Ao dobrar uma quina, deu de cara com uma antiga construção, algo como um galpão abandonado. As paredes estavam cobertas por trepadeiras, e o chão tinha uma espessa camada de mato. Seguiu em direção ao barracão e, subitamente, teve de fazer uma parada brusca. Diante de seus pés, meio oculto pela vegetação, havia um grande buraco, parecido com um poço muito velho. Dava para ver que ele tinha sido fechado havia muito tempo por ripas de madeira, mas agora elas tinham apodrecido, se rompido e exposto a abertura. Daniel se debruçou sobre aquela escuridão. Não conseguia ver o que havia no fundo.

— Marcos! Marcos! — gritou.

Silêncio.

— Marcos!

Atraído pelos gritos, Bruno se aproximou.

— Marcos!

Nada.

Daniel levantou-se e virou para o irmão.

— Me ajude a tirar esse mato todo da entrada do poço.

Os dois agarraram os tufos de vegetação e, com grande esforço, puxaram para o lado. Com isso, os raios de sol entraram no buraco.

— Segure firme — disse Daniel.

Bruno manteve o mato afastado da abertura do poço, enquanto seu irmão voltava a debruçar-se. Desta vez, conseguiu distinguir claramente um corpo deitado no fundo do poço, sem movimentos.

❖ ❖ ❖

Era Marcos.

❖ ❖ ❖

— Marcos! Marcos! Amigo! — gritou.
Sem resposta.
Virou-se para Bruno.
— Corre e avisa a polícia onde nós estamos. Mande trazer uma ambulância! Mas deixa comigo a insulina.
— O que você vai fazer?
Daniel desconversou.
— Corre! Vai! E cuidado onde pisa.
Bruno obedeceu, entregou a insulina, deu meia-volta e partiu pelo mesmo caminho por onde tinham chegado. Quando viu que seu irmão sumiu de vista, Daniel voltou a olhar para o poço. As paredes eram recobertas de pedras. Deveria ter entre nove e dez metros de profundidade. Olhou novamente para o fundo e não viu movimento algum. "Será que eu cheguei tarde demais?"

Não havia tempo a perder. Pôs no chão a Bíblia, que já estava ensopada pela chuva, e pensou em como faria para descer com a ampola e a seringa. Ambas estavam acondicionadas num estojo. Colocou-o entre os dentes, agachou-se e deixou as pernas escorregarem para dentro da abertura. Aos poucos, foi soltando a beirada. Quando encontrou espaço entre uma pedra e outra, firmou o pé. A chuva dificultava a descida. Tudo estava escorregadio. Era uma ideia perigosa, mas era a única que tinha.

Aos poucos, Daniel foi descendo. Pé ante pé, mão ante mão. Quando encontrava apoio para um pé buscava outro para uma mão, e assim ia vencendo aquela escada de pedra. Faltando uns dois metros, seus músculos pararam de responder. Não tinha mais forças, seu braço esquerdo fraquejou e ele despencou em direção ao solo pedregoso do fundo.

O baque foi forte, mas o susto foi maior. Passados uns segundos, recobrou a clareza de pensamento.

— Marcos!

Debruçou-se sobre o amigo. Tentou verificar a pulsação, mas não conseguiu sentir nada. "Jesus, por favor..." Tenso, molhou a ponta do dedo na própria saliva e a aproximou de uma das narinas. Sentiu a pele gelar levemente.

— Amigo! Marcos!

Nenhuma resposta.

Sua pele estava fria, encharcada de água da chuva. Tentava perceber se sua temperatura estava normal ou...

Lembrou-se da insulina. Na queda, o estojo tinha caído. A ampola voou para um lado e a seringa, para outro. Começou a tatear no chão cheio de detritos. Sua mão agarrou pedras, lama, ripas podres de madeira, e uma série de coisas que ele não fazia ideia do que fossem. A escuridão tornava muito difícil encontrar aquele pequeno pedaço de vidro. Enfim, achou a ampola, que, graças a Deus, não se havia quebrado. Continuou revirando tudo em volta até que achou a seringa. O nervosismo dificultava ainda mais a tarefa. A adrenalina inundava seu sangue, e ele podia sentir as mãos tremendo de frio. Lutando contra a escuridão, quebrou o bico da ampola, destampou a agulha e...

Agulha!

Daniel ficou paralisado. Seu pavor daqueles objetos perfurantes sempre foi um desafio em sua vida. Era um bloqueio difícil de superar. Na escuridão, apenas o brilho da leve claridade que vinha de cima naquele fino instrumento já o deixava trêmulo. Mas era seu amigo e...

— Deus, me dá forças!

Segurou a seringa como se fosse uma faca, enfiou a agulha na ampola e sugou todo o líquido. Segurou o braço de Marcos e posicionou a seringa. Hesitou. O tempo parecia ter parado, mas, ao mesmo tempo, ele sabia que estava numa corrida contra o relógio. Suas mãos tremiam, a água da chuva entrava em seus olhos e embaçava a visão, a lama tornava os dedos escorregadios. A tensão havia chegado ao limite.

— Deus, me dá forças!

Naquele momento, percebeu quanto era limitado. Quanto era impotente. Quanto precisava do Todo-poderoso.

Parou.

Olhou para o alto.

E, de joelhos como estava, finalmente reconheceu uma grande verdade.

— Senhor, sempre achei que a vida de meu amigo dependia de mim. Agora percebo quanto estava enganado. Depende, sempre dependeu e sempre dependerá única e exclusivamente... de ti.

De repente, uma calma incompreensível invadiu sua alma. Com um gesto firme e lento, cravou a agulha na pele do amigo, pressionando o êmbolo até o final. Puxou de volta e sentou-se ao lado do corpo imóvel de Marcos.

E assim ficou por longos minutos. Até que ouviu um som baixo. Um sussurro fraco, quase um sopro, que formou apenas uma palavra:
— Crânio...

Capítulo 10

FINAL

> *Onde seu tesouro estiver, ali também estará seu coração.*
> Mateus 6.21

A chuva cessou, e os raios de sol começaram a ganhar espaço por entre as nuvens. Quando o bombeiro estendeu a mão e deu o último puxão para que Daniel saísse do poço, Marcos já estava recebendo os cuidados de emergência. Os médicos haviam sido rápidos, iniciando a reidratação de seu organismo e a aplicação dos primeiros socorros, enquanto aguardavam a chegada do helicóptero do resgate.

Bruno correu e abraçou o irmão. Daniel deu um beijo em sua cabeça e olhou em volta. Entre alguns rostos desconhecidos de policiais, médicos, bombeiros e até alguns repórteres, viu o inspetor Benevides, seu antigo conhecido. Acenou com a mão e recebeu um sorriso de volta. Pastor Wilson estava perto de Marcos, mas, ao ver que o melhor era deixar a equipe de emergência fazer seu trabalho em paz, aproximou-se de Daniel e passou um braço por volta de seus ombros.

— Amado, como foi que você descobriu?

Daniel abaixou a cabeça.

— Eu já estava a caminho da universidade quando resolvi ler a Bíblia. Folheei as páginas e senti um grande desejo de ler o evangelho de Lucas, no trecho que fala sobre o início da paixão de Cristo. Comecei a ler, e a resposta ao sétimo enigma simplesmente pulou na frente dos meus olhos. Tudo se encaixou. Veja — pegou a Bíblia do chão e, com dificuldade, virou suas páginas molhadas até Lucas, capítulo 22. E começou a ler a partir do versículo 39:

— "Então, acompanhado de seus discípulos, Jesus foi, como de costume, ao monte das Oliveiras. Ao chegar, disse: 'Orem para que vocês não cedam à tentação'. — Frisou a frase seguinte. — "Afastou-se a uma distância como de um arremesso de pedra...'.

— "Onde Jesus se afasta" — sorriu pastor Wilson.

— "... ajoelhou-se e orou: 'Pai, se queres, afasta de mim este cálice. Contudo, que seja feita a tua vontade, e não a minha'. Então apareceu um anjo do céu, que o fortalecia. Ele orou com ainda mais fervor, e sua angústia era tanto...".

— "Onde há angústia."

— "... que seu suor caía na terra como gotas de sangue. Por fim, ele se levantou, voltou aos discípulos e os encontrou dormindo, exaustos de tristeza...".

— "Onde há tristeza."

— "'Por que vocês dormem?', perguntou ele. 'Levantem-se e orem para que vocês não cedam à tentação.'

Enquanto Jesus ainda falava, chegou uma multidão conduzida por Judas, um dos Doze....".

— "Onde estão Judas e aqueles que o seguem."

— "... Ele se aproximou de Jesus e o cumprimentou com um beijo. Jesus, porém, lhe disse: 'Judas, com um beijo você trai o Filho do Homem?'. Quando aqueles que estavam com Jesus viram o que ia acontecer, disseram: 'Senhor, devemos lutar? Trouxemos as espadas!'. E um deles feriu o servo do sumo sacerdote, cortando-lhe a orelha direita...".

— "Onde quem persegue Jesus sofre."

— "... Mas Jesus disse: 'Basta!'. E, tocando a orelha do homem, curou-o. Então Jesus se dirigiu aos principais sacerdotes, aos capitães da guarda do templo e aos líderes do povo que tinham vindo buscá-lo: 'Por acaso sou um revolucionário perigoso para que venham me prender com espadas e pedaços de pau? Por que não me prenderam no templo? Todos os dias eu estava ali, ensinando. Mas esta é a hora de vocês, o tempo em que reina o poder das trevas'".

— "Onde as trevas reinam" — concluiu o pastor Wilson.

Ficaram um instante em silêncio. Até que Daniel prosseguiu:

— Quando terminei de ler essa passagem, vi que tudo se encaixava como uma luva. E, como ocorre com toda distorção na leitura das Escrituras, meu erro nos levou para longe do alvo. Marcos não estava no "inferno", mas no local onde se passa a prisão de Jesus: o Jardim das Oliveiras.

E eu mandei o resgate para o lugar errado. Minha falha poderia ter custado a vida do meu melhor amigo.

— Bem... não vamos esquecer que não foi só você quem cometeu o erro. Nós cometemos juntos. Não é por eu ser pastor que não vou assumir que falhei.

Daniel olhou para ele com orgulho. Aquele era verdadeiramente um homem de Deus. Até que Bruno o puxou pela blusa.

— Dani... e como fica a sua bolsa de estudos?

O jovem sorriu com tristeza. Mas foi o pastor Wilson quem respondeu:

— Ele teve de fazer uma escolha. E optou por se sacrificar por algo que considerava mais importante. Na vida, Bruno, você vai deparar muitas vezes com escolhas como essa. E seu irmão seguiu pelo mesmo caminho que Jesus seguiu ao vir à terra: o de sacrificar a si mesmo por alguém que ama.

Ficaram todos quietos, refletindo sobre aquilo que o pastor tinha dito. Nisso, o silêncio foi quebrado pelo ruído das hélices do helicóptero do resgate, que veio se aproximando e desceu, até pousar numa clareira do terreno. Os médicos suspenderam a maca na qual Marcos estava deitado e cuidadosamente a conduziram até o veículo. Levantaram o leito e o introduziram pela porta, que se fechou atrás deles.

As pás do helicóptero já estavam acelerando para a decolagem quando a porta se abriu novamente e um dos médicos desceu. Abaixado, correu para perto do grupo e gritou bem alto, por causa do barulho:

— Algum de vocês aqui é o Crânio?!
Daniel ficou apreensivo. Olhou para os demais e se apresentou.
— Sou eu.
— O rapaz quer falar com você antes de decolar!
Pastor Wilson deu um tapinha encorajador em suas costas. Daniel retribuiu com um olhar, abaixou-se e acompanhou o médico até a porta da aeronave. Deu um pulo, entrou e se agachou ao lado de Marcos, que, imobilizado por um colar ortopédico, não podia se mexer. Daniel chegou bem perto de seu rosto e falou ao seu ouvido:
— Fala, amigão.
Marcos olhou detidamente para o colega e sussurrou:
— Crânio... obrigado.
Daniel sorriu e fez um gesto com a cabeça. Quando já ia descer, Marcos o chamou novamente com os olhos. Seu amigo se aproximou.
— Crânio... o tesouro... ficou lá... no fundo do poço...
Daniel sorriu novamente, pôs uma mão sobre o peito do amigo e falou, emocionado:
— Não ficou não, amigão. Está bem aqui. Bem aqui...

Compartilhe suas impressões de leitura escrevendo para:
opiniao-do-leitor@mundocristao.com.br
Acesse nosso *site*: www.mundocristao.com.br

Equipe MC: Daniel Faria (editor)
Heda Lopes
Natália Custódio
Diagramação: Luciana Di Iorio
Gráfica: Assahi
Fonte: Sabon
Papel: Pólen Natural 70 g/m² (miolo)
Cartão 250 g/m² (capa)